Y PALMAN

Rhannu'r Gwely

Yr ail gyfrol

Manon Rhys

Argraffiad cyntaf—1999

ISBN 1 85902 726 1

Seiliwyd y gyfres deledu a'r gwaith hwn
ar syniad gwreiddiol gan Richard Lewis.

Dymuna'r awdur a'r cyhoeddwyr ddiolch i gwmni Teledu Opus
ac i S4C am y lluniau, ac i'r ffotograffwyr,
Gareth Morgan a Peter Moss Vernon.

Dymuna'r cyhoeddwyr gydnabod cymorth
Adrannau Cyngor Llyfrau Cymru.

Argraffwyd yng Nghymru gan
Wasg Gomer, Llandysul, Ceredigion

Er cof am f'ewyrth a'm modryb,
Tom a Marged Davies,
Tregaron a Llundain.

TEULU FFYNNON OER

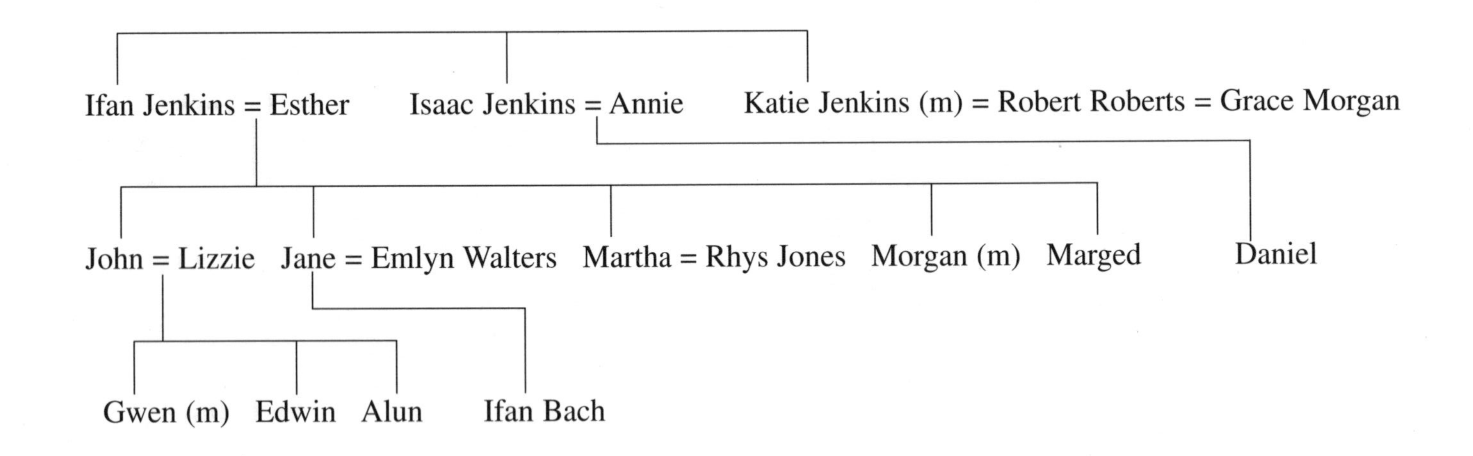

Mawrth, 1931

Bore plygeiniol yn Acton Street, Paddington. Dau bâr o draed mewn sgidiau hoelion mawr yn martsio'n bwrpasol ar hyd y coblau, ac unsain disgybledig eu 'clic-clac-clic-clac' yn atseinio'n fygythiol rhwng y waliau. Ac yna'n stopio'n stond. A nawr does dim i'w glywed ond swish-swash pâst hufennog yn cael ei frwsio ar bosteri a sŵn clatsh-clatsh dau bâr o ddwylo'n plastro poster ar ôl poster ar ffenest fawr siop Isaac Cohen. Ac yna clic-clacian y dianc cyflym i lawr y stryd ac o dan bont y rheilffordd, cyn diflannu i'r pellter niwlog.

*

– *Oh, yes! What a shot!*

Mae hwyaden arall yn syrthio glatsh i'r ddaear yn sŵn cymeradwyaeth y saethwyr selog.

– *My dear Grace,* tydi'r Doctor yma'n un handi efo'i wn?

Gwena Grace – Mrs Dr Robert Roberts – ar Lady Bronwen Orme-Wilkinson. Gwena Robert ar y ddwy, a'u gweld yn hynod o debyg, yn eu plu amryliw, i'r ddwy hwyaden sy'n gelain wrth ei draed. Ac yna aiff ati i ail-lenwi ei ddryll yn hamddenol ar gyfer y *broadside* nesaf.

– Damo!

Wyn Pritchard – y llyffant – sy'n bytheirio o dan ei wynt wrth ymbalfalu â'r hen ddryll anhylaw a etifeddodd gan ei dad-cu, un o giperiaid stad Gogerddan. Gall deimlo gwatwar ei gyd-saethwyr a'u cymdeithion ar ei war wrth iddo godi'r dryll – anelu fry – oedi – a saethu.

Powns! Powns!

– Damo, damo!

Sylla'n siomedig ar yr hwyaden uwch ei ben yn diflannu i niwl boreol yr allt, a'i chrawcian gwatwarus yn adleisio twt-twtian Lady Orme.

– *Oh bad luck,* Mr Pritchard bach! Ond dyna fo, fel maen nhw'n deud yn Dwygyfylchi – dyfal donc, yntê!

*

Does dim cysuro ar yr Iddew. Er gwaethaf ymdrech Isaac Jenkins ac Annie i'w glanhau, mae ei ffenest yn frith o bosteri ac yn diferu gan bâst. Mae'r olygfa'n un dorcalonnus. Hanner dwsin o bosteri mawr ar ffenest yn datgan *JEWS GO HOME!,* a hen ŵr o Iddew dagreuol yn datgan '*But this* is *my home!*'

Rhyfedd o fyd.

*

– Ffusta fe, Ifan!

– Rho wheret iddo fe, Benji!

– Benji 'achan! Ti'n wa'th na rhech tarw Pantrod!

Mae lleisiau'r plant sy'n sefyll yn gylch o gwmpas y ddau ymladdwr yn cyrraedd crescendo wrth i Benji Pen-parc syrthio glatsh ar ei gefn gan dynnu Ifan Bach Jenkins, Ffynnon Oer, i lawr ar ei ben.

– Bwra fe 'to, Ifan!

Sŵn clatsho a dyrnu a thuchan a gwichan, a'r ddau gorff bach cydnerth yn sownd yn ei gilydd, yn rowlio'n belen chwyslyd rownd a rownd yr iard, y dyrnau'n hedfan, y coesau'n cicio a'r llwch yn codi'n gymylau. Ac yna bloedd o gymeradwyaeth wrth i Ifan eistedd yn fuddugoliaethus ar fola Benji gan anelu'i ddwrn at drwyn pwt ei elyn. Ac yna distawrwydd llwyr a rhyfedd. Mae dwrn Ifan yn hofran yn llonydd, a'r ddau ymladdwr yn syllu i fyw llygaid ei gilydd . . .

Mae gwaed ar wefus isaf Benji, a dagrau yn ei lygaid bach mochyn. Wrth syllu arno, â'i ddwrn fry uwch ei wyneb, fe wêl Ifan yr un ofn ag a welodd yn llygaid yr hen Dwmi Tew echdoe, ac yntau'n gwingo ar styllen ar glos Ffynnon Oer, a chyllell Jac Mochyn yn hofran yn ddisglair uwch ei ben, cyn iddi ddisgyn yn sydyn a thorri hollt ddofn yn ei wddw nes bod y gwaed yn ffrydio'n dywyll i'r bwced. Clywed sgrech yr hen fochyn yn atseinio yn ei glustiau sy'n peri i Ifan ostwng ei ddwrn, er siom i'r gynulleidfa awchus.

Llais cras Mister Williams y scwlmishtir sy'n torri ar y cyffro.

– Mewn â chi i'r ysgol y funud 'ma, y job lot ohonoch chi! Benji Griffiths ac Ifan Jenkins – sefwch tu fas i'n stafell i! Nawr!

*

Erbyn hyn mae rhes o fotor cars moethus ar ddreif Plas House, Maidenhead, pob un â *chauffeur* talsyth wrth ei ochr, pob un â'i gist yn agored, a phob cist yn drwm gan ysbail pluog. Mae'r fintai fodlon ar fin ymadael yn llwythog, flinderog ar ôl bore llwyddiannus o ladd.

Bydd Grace yn falch o weld eu cefnau, ond fe ddeil i wisgo'r wên barhaus a wisgodd ers teirawr – teirawr hir o groesawu gwesteion ei gŵr i'w cartref, o frecwasta yn eu cwmni coeglyd a gorfod canmol eu dawn o lofruddio adar gwyllt.

Mae Robert yn stwffio pâr o adar i ddwylo Pritchard ac yn sibrwd yn ei glust:

– Anrheg i chi, Pritchard. *Consolation prize.* Rhag i chi fynd adra'n waglaw at Mrs P. A Pritchard, cofiwch am y ffafr fach dwi wedi'i gofyn. Dwi'n disgwyl gwahoddiad i'r *garden party* yna efo'r Lloyd Georges. Dallt?

Deall neu beidio, does dim modd i Pritchard ymateb gan fod Lady Orme yn hofran wrth ei ochr gan ymdebygu i long hwyliau ar fin ymadael o ddociau Lerpwl.

– *Grace, my dear – it's been lovely.* Ew, dwi 'di mwynhau – 'mas draw' – fel 'dach chi'r Cardis yn 'i ddeud . . . *Robert, darling – quite a few men could tempt me* into *bed*, ond chdi 'di'r unig un sy'n medru 'nhynnu i *o*'r gwely am wyth o'r gloch ar fora oer!

Chwerthin poléit gan bawb, sws ar ambell foch, ac i mewn â hi i'r motor car. Gwêl Pritchard ei gyfle yntau i ymadael yn llechwraidd yn ei Austin Nine, gan wingo wrth glywed ebychiad arferol Robert.

– Y llyffant!

Lwcus iddo na chlyw sylw miniog Lady Orme.

– Ac mi dyngith y bwbach wrth 'i gadach llawr o wraig mai fo saethodd yr adar yna. *Ac* mi fydd hi'n 'i gredu o, *poor woman*! Ond dyna fo, *most marriages are not made in heaven,* decini. Deudwch wrtha i, sut mae Jane?

Cwestiwn sydyn ac annisgwyl. Lady Orme, o bawb, yn holi am Jane. Annisgwyl, gan na fu fawr o Gymraeg rhwng y ddwy ers y busnes diflas hwnnw gyda Marcus flynydde'n ôl. Er nad Jane oedd achos yr ysgariad chwerw a hynod o gyhoeddus a fu'n destun trafod brwd yn y cylchoedd crachaidd, gwyddai'r Ledi'n iawn fod Jane yn un o'r *'dozens of cheap little knickerless tarts'* yr awchai ei gŵr amdanynt. Gwyddai Jane hynny hefyd. A dyna eironi'r sefyllfa – y ddwy, y wraig ac un o'r cariadon, yn sylweddoli iddynt gael eu twyllo a'u bradychu gan lyngyryn. Ydy'r ffaith bod y wraig bellach yn holi am un o'r *tarts* – yr un a groesawyd ganddi i'w chartref, yr un yr oedd ganddi feddwl y byd ohoni, yr un yr oedd yn ei thrin fel merch iddi – yn golygu ei bod yn barod i faddau iddi? Pwy a ŵyr?

Fe gaiff ar ddeall bod Jane yn iach, yn cael llety gyda'i hewyrth a'i modryb uwchben y Dairy, a'i bod yn paratoi'n ddyfal ar gyfer ei phriodas.

– Dyna be o'n i wedi'i glywad, wir. *Wish her well from me.*

Dyw hi ddim yn sôn ei bod wedi cael gwahoddiad i'r briodas. Fyddai neb yn deall mai ymgais Jane oedd hynny i ofyn am faddeuant. Dyw hi ddim yn sôn ei bod eisoes wedi derbyn y gwahoddiad. Fe gaiff pawb ei gweld hi yn y capel yn ei holl ogoniant.

Yn y cyfamser, cafodd ddigon ar chwarae plant, ac i mewn â hi i'w char gan ddiflannu'n gyflym i lawr y dreif.

*

Y gwir yw mai'r cyfan sydd ar feddwl Jane y dyddiau hyn yw ei phriodas ag Emlyn Walters. Dyna'r rheswm am yr olwg freuddwydiol barhaus sydd ar ei hwyneb, a'i thuedd gyson i synfyfyrio, hyd yn oed yng nghanol cwmni. Dyna pam y mae hi'n gwenu'n ddirgel wrth sefyll o flaen Lizzie'r funud hon, ffrog wen laes o sidan amdani, ei breichiau ar led a'i meddwl ymhell. Mae Lizzie'n gorffen gosod rhes o binnau ar hyd godrau'r ffrog, yn pwyso'n ôl ar ei sodlau ac yn gwenu.

– Jane, ti'n bictiwr! Ma'r Indian Silk 'ma'n berffeth. Ti'n lwcus bo' ti'n gallu ffwrdo shwt ddefnydd neis.

– Emlyn sy'n gallu 'i ffwrdo fe, dim fi!

Mae dweud enw ei dyweddi'n peri i'w llygaid befrio. A pha syndod? Mae hi'n ei garu fel na charodd neb erioed. Fe yw'r un sydd ar ei meddwl beunydd, beunos, fyth ers iddo ei hebrwng adref o'r *Social Evening* yn y capel, fyth ers iddo wenu arni ar riniog siop y Dairy a gafael yn ei llaw a gofyn yn daer am gael ei gweld drannoeth. Fe, Emlyn Walters, o bawb, y dieithryn golygus, galluog o ogledd Cymru, yr un yr oedd y merched i gyd yn ei ffansïo. A hi, Jane fach Jenkins, o bawb – y groten fach anobeithiol a wnaeth gawl o'i bywyd hyd yn hyn, yr un a gredai na châi ddyn i'w charu fyth – sy'n mynd i'w briodi, yn mynd i fod yn wraig i feddyg ac yn fam i'w blant . . .

Yr ochenaid sydyn sy'n tynnu sylw Lizzie. Honno a'r ffaith bod Jane yn crychu'i thalcen ac yn byseddu gwasg y ffrog yn feddylgar. Yr eiliad honno mae Lizzie'n gwybod i sicrwydd yr hyn y bu'n ei amau ers tipyn.

– Ma' hi'n dynn, on'd yw hi, Jane? Yn dynnach nag oedd hi . . .

Llygaid Jane sy'n ei hateb. Y llygaid a befriai rai munudau'n ôl, nawr yn niwl o ofid ac ansicrwydd. Mae hi'n ochneidio eto ac yn sibrwd:

– Ma' Jane fach Jenkins wedi'i gneud hi 'to, on'd yw hi? Ar ôl pum mis o garu gyda'r Doctor Emlyn Walters, ma' 'da hi fynsen yn y ffwrn.

'Ma' 'da ti fynsen yn y ffwrn am yr eildro, 'merch i', meddylia Lizzie. Doctor arall yn rhoi bynsen arall i ti. Cyd-ddigwyddiad rhyfedd? Oni ddylen nhw, yr arbenigwyr, fod yn weddol siŵr o'u pethau? Ond colli gafael ar bethau weithiau yw eu hanes, fel pawb arall, debyg.

– Jane fach, beth 'newn ni â ti? Ody Emlyn yn gwbod?

– Ody. A fe fydd pawb arall yn gwbod 'whap, a ninne'n priodi ar hast wyllt fel hyn.

– Wel, wedith John a fi ddim gair wrth neb. Fuon ni drwyddi'n hunen, on'd do fe?

Mae hi'n troi ei llygaid yn reddfol at *photograph* sydd ar y *chiffonier* o groten fach ddwyflwydd, yn wên i gyd mewn clogyn coch. Mae llun arall wrth ei ymyl. Dau fachgen bach, John Edwin a Morgan Alun, na fydd byth yn nabod eu chwaer fawr. Mae Lizzie'n gwenu'n ôl ar Gwen cyn dechrau datod y pinnau ar wasg y wisg. Eiliadau o ddistawrwydd a'r chwiorydd-yng-nghyfraith yn ddwfn yn eu trobyllau eu hunain. Ac yna mae Lizzie'n penderfynu dweud yr hyn sydd ar ei meddwl.

– Jane, ma'n rhaid i ti weud wrth Emlyn am Ifan Bach.

– Na . . .

– Ond alli di byth â'i gelu fe. Alle fe ffindo mas. Ca'l gwbod 'da rhywun arall.

– Fe weda i wrtho fe rhyw ddydd . . .

– Ma'n rhaid i ti weud wrtho fe nawr! Achos os ddeallith e dy fod ti wedi cwato rhwbeth mor bwysig – wel, 'sdim dal beth ddigwyddith! Falle na nele fe byth fadde i ti!

– Olreit! Olreit! Fe weda i!

– Gwd . . .

– Ie, 'gwd'! Fe gyfaddefa i wrtho fe am Ifan Bach. Ond ma'n rhaid i ti ddeall hyn. Alla i byth – *byth* – â chyfadde wrtho fe pwy yw 'i dad e!

Mae Jane yn dechrau dadwisgo'n chwyrn gan rwygo pwythau llac a phinnau'n ddidrugaredd o'r sidan. Yn sydyn iawn mae ei gwisg briodas yn annioddefol o dynn ac yn boenus o drwm.

*

Yn ei stydi yn Plas House mae Robert Roberts yn sipian ei goffi ac yn pwffian ar ei sigâr wrth ddarllen y *Times* yn sŵn *Morning Music* ar y *wireless*. Mae'r *Variations on the Kol Nidrei* gan Max Bruch yn heintus, ond eironi'r cyfuniad o'r hyn a glyw a'r hyn y mae'n ei ddarllen sy'n peri i Robert wenu a thynnu'i sbectol a chymryd pwff arall ar ei sigâr a sip arall o'i goffi. Mae stori flaen y *Times* yn sôn am y cynnydd mawr yn y gefnogaeth i Syr Oswald Mosley a'i New Party a'r tebygrwydd y bydd ei blaid arfaethedig yn ymladd ymgyrch gref yn yr etholiad cyffredinol nesaf. Gŵyr Robert yn iawn beth yw sail gwleidyddiaeth Mosley a'i ddilynwyr – cenedlaetholdeb Seisnig a gwrth-Semitiaeth rhonc. Mae'r *Variations on the Kol Nidrei* yn heintus o amserol.

Grace, fel arfer, sy'n torri ar ei fyfyrdodau. Mae hi'n cerdded i mewn yn dalp o ffwr a lês a sidan – rhywbeth a fu unwaith yn gadno hardd dros ei hysgwyddau, *veil* lês yn hongian o'i het fach bluog, goch i lawr dros ei thrwyn, a siaced sidan lwyd yn dynn dros ei bronnau.

– Grace fach – lle 'dach chi'n mynd wedi'ch gwisgo mor grand?

– Dillad y briodas y'n nhw, Robert. Wnân nhw'r tro?

Mae'r sbectol yn ôl ar y trwyn, a'r *Times* yn cael ei ysgwyd yn ddiamynedd.

– Del iawn . . .

– Odych chi'n siŵr? Beth am yr hat? Odw i'n mynd dros ben llestri? Wedi'r cyfan, Esther yw'r *mother of the bride*, dim fi.

– Wel, wel! Mae'r cnaf wedi cyfadda o'r diwadd!

– Pwy?

– Lloyd George. Tydi o ddim am gefnogi Llafur. Diddorol yntê?

Clep ar y drws yw ateb Grace.

*

Y darlun yn yr *Encyclopaedia* sy'n dod i feddwl Ifan Bach, hwnnw o'r Coliseum yn Rhufain a'r merthyron Cristnogol yn aros eu tro i gael eu llarpio gan anifeiliaid rheibus. Ceisiodd, droeon, ddychmygu eu harswyd a'u hartaith. Gorfod gwylio pobol yn dioddef, gorfod gwrando arnyn nhw'n dioddef – gan wybod eich bod yn eich gwylio'ch dioddefaint eich hunan, yn gwrando ar eich dioddefaint eich hunan. Gan wybod mai chi fydd nesa . . .

Gweld wyneb dolurus Benji Pen-parc a chlywed ei 'Aw!' bach truenus bob yn ail â 'Swish' sydyn y wialen fedw'n rhwygo cledr ei law. Dyna artaith arswydus Ifan Bach. 'Swish' – 'Aw!' – 'Swish' – 'Aw!' – 'Swish' – 'Aw!' sydyn, cyn i'r dihiryn, 'bwli mowr yr ysgol', lusgo'i draed yn ôl i'w ddesg yng nghefn y dosbarth, ei law o dan ei gesail, a'r dagrau'n cronni'n beryglus yn ei lygaid bach mochyn.

Daeth diwedd ar yr artaith. Daeth tro'r ail ddihiryn – 'y dylai fod cywilydd arno' – i wynebu'i dranc. Estyn ei law, cau ei lygaid, a 'swish, swish, swish' sydyn. A dyna ni. Gorffennwyd. Dim gwaedd, dim gwingo. Dim dagrau. Dim llaw o dan y gesail. Dim ond dringo un ris yn uwch ar ysgol brofiad. Gweddill y dosbarth, a orfodwyd i fod yn dystion i'r holl seremoni, sy'n ei chael yn anodd i'w diodde, yn enwedig Defi Oernant, yr hen ffrind ffyddlon, sydd â'i lygaid ynghau'n dynn a'i fysedd yn sownd yn ei glustiau. Profiad ofnadwy yw bod yn dyst i ddarostyngiad eich arwr mawr.

Ond daw diwedd ar bob seremoni, ac yn sŵn ei gyd-ysgolheigion yn canu dewis pwrpasol Mister Williams y scwlmishtir o un o emynau Elfed, fe gaiff Ifan Enoc Jenkins gyfle i fyfyrio ynghylch ei flas cyntaf erioed – ei unig flas – o'r wialen fedw, ac i ddechrau poeni beth ddywed Esther ynglŷn â'r gwarth a ddygodd ar deulu Ffynnon Oer.

– 'Mor hyfryd yw meddwl
Am Iesu di-nam
Yn blentyn bach ufudd
Ar aelwyd ei fam . . .'

*

– Esther! Esther, wyt ti'n 'y nghlywed i?

Mae Esther yn ei glywed yn iawn. Ond dyw hi ddim yn cyffro. Mae hi'n dal i sefyll yn y parlwr, ei dwster yn ei llaw, yn syllu ar y llun. A dal i wenu arni hithau a wna Morgan o'r ffrâm gerfiedig.

– Esther! Dere 'ma, glou!

Does dim amdani ond ochneidio, ufuddhau, a llusgo, am y degfed tro ers toriad gwawr, lan y staer i'r bedrwm fowr i wynebu'r drewdod annioddefol ac wyneb torcalonnus Ifan.

– Esther fach, ma'n ddrwg 'da fi. Fe dries i godi i'r *commode*.

– Paid â becso dim. Gad ti hyn i fi . . .

Yr un hen sgript, yr un hen drefn. Ei helpu i godi o'r gwely, ei osod i eistedd ar y gadair, tynnu'r crys nos drycsawrus, arllwys dŵr o'r jẁg fawr wen i'r basn wrth ochr y gwely ac estyn am y wlanen . . .

– Fyddwn ni ddim whincad . . .

Sgwrio rhwng ei goesau, ei sychu'n drylwyr, estyn crys nos glân iddo. Tynnu'r dillad brwnt oddi ar y gwely, estyn am rai glân a'u taenu. A llygaid wylofus Ifan yn syllu arni'n ddidrugaredd.

– 'Na ti welliant, nawr, ontefe?

Ac mae Ifan, unwaith eto, yn frenin bregus yn ei wely. Mae padell o ddŵr brwnt wedi'i gario lawr y staer a'i arllwys i gwter y beudy, coflaid o ddillad gwely wedi'u taflu ar lawr y tŷ golchi, ac mae'r pair mawr haearn â'i lond o ddillad gwely neithiwr yn ffrwtian ar y tân. Ac am ddeg o'r gloch y bore mae Esther wedi blino'n garn. Mae hi hefyd wedi dod i benderfyniad mawr.

*

Mae'r cyfarfyddiad boreol rhwng Isaac Jenkins a John, ei nai, bob amser yn un oeraidd. Bu'n anodd i Isaac ddygymod â'r ffaith bod John yn gyflogedig gan y cwmni a 'ddwgodd' ei fusnes oddi arno'r llynedd. Ystyr 'dwgyd', fel y bydd Isaac yn cyhoeddi'n hyglyw ar bob cyfle, yw bod Great Western Dairies wedi prynu'r hawl oedd ganddo i werthu llaeth yn ardal Paddington am bris chwerthinllyd o isel. Fe'i twyllwyd ganddynt, mewn gwirionedd, i ildio conglfaen ei fywoliaeth am y nesa peth i ddim. Ond gan nad yw'n fodlon cyfaddef hynny, mae gofyn iddo wisgo mantell y gweithiwr bach cyffredin a gafodd gam ac a lyncwyd gan geg barus Mamon. Teimla fod arno gyfrifoldeb i bregethu a bytheirio'n huawdl yn erbyn cyfalafiaeth ddiegwyddor a chwmïau mawr sy'n lladd busnesau bach ac yn taflu dynion busnes cydwybodol i bydew tlodi a dyled. Pam ddylai gyfaddef mai ei dwpdra ef ei hun yw sylfaen ei broblemau ariannol? Wrth dynnu sylw ei gwsmeriaid at yr arwydd *Sorry, No Credit* mewn man amlwg uwchben y cownter, a bod yn gwbwl galongaled wrth wrthod cardod i neb, mae hi'n haws rhoi'r bai ar y 'nhw' cyfalafol cyfleus, diwyneb a dienw.

A nawr dyma John yn parcio'i lorri Great Western Dairies wrth glwyd yr iard fel petai'n berchen ar y lle. Mae ei agwedd 'Ond mae pawb eisie byw' a 'Ma'n rhaid i fywyd fynd yn 'i fla'n' yn mynd o dan groen Isaac. Ond mae cwyno diddiwedd Isaac a'i duedd i feio pawb ond fe ei hunan yn mynd o dan groen John. Dyw bywyd ddim yn hawdd iddo fe a Lizzie. Beth sy ganddyn nhw i'w ddangos ar ôl deng mlynedd yn Llundain?

Dau grwt bach a dyled fawr. A bywyd caled sy'n ddim ond gwaith a gorffwys bob yn ail. Prin yw'r cyflog am redeg y caffi yn Covent Garden, a does ganddo fe a Lizzie fawr o ddiléit yn y lle ar ôl torri'r cysylltiadau teuluol – fe gollodd Robert pob diddordeb a gwerthu ei siâr i'w elyn, y llyffant Pritchard; fe werthodd Isaac ei siâr iddo hefyd er mwyn cael mwy o arian yn ei boced; ac fe benderfynodd Daniel Jenkins bod rhedeg tacsis yn ffordd haws o fynd yn filiwnêr. Rhwng y caffi a'r gwaith achlysurol i'r Western Dairies a'r Jenkins' Taxis, a gwaith *dressmaking* achlysurol Lizzie, mae eu pennau rhyw fodfedd uwchben y dŵr.

Mae'r oerni rhwng y nai a'i ewyrth yn gwbwl amlwg y bore 'ma fel pob bore arall, ac Isaac yn ciledrych ar John yn gosod y *crates* o boteli llawn wrth ddrws y siop ac yn arwyddo'r pishyn papur pwysig sydd ganddo yn ei law. Daniel Jenkins yn canu corn ei dacsi ac yn gweiddi arnyn nhw sy'n torri ar y tyndra:

– *Taxi! Daniel Jenkins Motor Carriage Company at your service!*

Chwythiad chwyrn drwy'i drwyn yw ymateb Isaac, sy'n gwneud i John feddwl am darw Pantrod, slawer dydd, ar ddiwrnod drwg. Ac yna i mewn ag Isaac i'r siop heb ddweud bŵ na bê wrth ei fab na'i nai. Mae Dan yn gwenu ac yn cynnig sigarét i'w gefnder.

– *Cold today*, John bach!

– *Cold every day,* Daniel!

– A beth yw'r *mess* 'na ar ffenest Cohen? Paid â gweud bod y jawled wedi bod wrthi 'to! 'Ma'r trydydd tro ers mis! Jawl, ma' pethe'n ddrwg!

*

Mae handlen drom y mangl wedi stwbwrno'n lân ac mae'r dillad gwely trwm fel petaen nhw'n mynnu mynd yn sownd yng nghrombil y peirianwaith.

Na, yng nghanol sŵn a stêm y tŷ golchi tywyll, gŵyr Esther Jenkins yn iawn mai ei breichiau hi sy'n wan, mai ei dwylo crebachlyd hi sy'n ei chael hi'n anodd i wneud yr union waith a fu unwaith mor ysgafn ac mor hawdd. Mae ei hysgwyddau'n glymau tyn a'i bysedd fel petaen nhw wedi'u cloi. Ac ar ben y cyfan mae ei garddyrnau mor frau gall dyngu eu bod ar fin cracio bob tro yr ymdrecha i godi unrhyw bwysau.

'Henaint ni ddaw ei hunan,' meddylia. Ond wrth daflu pedwar câs gobennydd a lliain bord i dwba o startsh a'u gwasgu lawr yn chwyrn â darn o bren, mae'r gwir mor llym a chreulon a digyfaddawd â'r lleithder sy'n cnoi i mewn i'w hesgyrn. Y gwir? Dyma hi, yn hen wreigen grwca hanner cant oed, yn fusgrell a didoreth cyn ei hamser. Mae hi'n ymdebygu'n gyflym i'w mam-gu, a fu farw'n ddeugain oed flynyddoedd maith yn ôl. Ac mae hi'r un boerad â'i mam pan ildiodd honno i gystudd hir. O ydy, mae hi'n hen . . .

Ac mae hi'n lwcus. Naw mlynedd wedi marwolaeth annhymig ei mab, mae Esther Jenkins yn diolch am gael bod yn fyw. Ac wfft i'r holl sôn am feddyginiaethau newydd, gwyrthiol. Pryd fydd y rheiny'n cyrraedd Ceredigion, lle mae'r hen elynion fel y ddarfodedigaeth yn dal yn deyrn, yn dal i ddifa plant ifanc un ar bymtheg oed fel Morgan? A phryd y byddan nhw'n darganfod meddyginiaeth ar gyfer mam a thad sydd â'u calonnau wedi'u torri'n rhacs?

– Mrs Jenkins fach, gadwch i fi'ch helpu chi 'da'r rheina.

Rhys sy'n torri ar ei meddyliau angladdol ac yn dod i godi'r fasged ddillad drom. Yr hen Rhys ffyddlon, ei mab-yng-nghyfraith, gŵr ei merch. Maen nhw i weld yn ddigon hapus, fe a Martha, er gwaetha'r straen o rannu tŷ â hi ac Ifan, er gwaetha gorfod rhannu'r baich o fagu Ifan Bach, ac er gwaetha'r ffaith nad oes ganddyn nhw, ar ôl wyth mlynedd o briodas, eu plentyn eu hunain.

Wrth ei ddilyn o'r stêm i'r awyr iach, mae Esther yn codi'i llygaid at ffenest y bedrwm fowr ac yn datgelu ei phenderfyniad mawr.

– Rhys, alla i ddim â godde rhagor. Ma'n rhaid 'i symud e lawr i'r parlwr.

Mae Rhys, yn reddfol hollol, yn codi ei lygaid at ffenest y bedrwm fowr.

– Ond Mrs Jenkins fach, fe dorrith e 'i galon.

Eiliad o betruso euog. Ond mae ei hateb yn gwbwl bendant.

– Ma' honno wedi'i thorri'n barod. Ers naw mlynedd . . .

*

Am bedwar o'r gloch y prynhawn, mae dau bererin bach yn ymlwybro ar hyd lôn droellog Ffynnon Oer, a choesau pwt Defi Oernant yn ymdrechu i'w gadw y tri cham parchus angenrheidiol y tu ôl i'w arwr. Ond mae gan yr arwr ormod ar ei feddwl y prynhawn yma i boeni am fân reolau *etiquette,* ac mae clebran diddiwedd Defi yn ei wneud yn benwan.

– Ifan, ti'n credu bydd yr Albion wedi cyrraedd? Fydd Rhys yn folon i ni reido arno fe?

Dyw hyd yn oed y cyffro am ddyfodiad arfaethedig y mashîn lladd gwair a brynwyd yn ail-law o Bantrod ddim yn llwyddo i godi calon Ifan Bach. Yn sydyn, wrth y fforch â lôn yr Oernant, dyma fe'n stopio'n stond, yn tynnu amlen o'i boced ac yn ei hastudio. Fel petai'n gysgod iddo mae Defi hefyd wedi stopio'n stond ac yn astudio – â'i lygaid llo bach – wyneb creithiog, cleisiog ei arwr, sy nawr yn troi ato ac yn syllu arno â golwg ddifrifol, gyhuddgar, sy'n hynod o debyg i olwg ddifrifol, gyhuddgar Mr Williams y scwlmishtir. Mae'r llygaid llo'n troi'n soseri wrth weld Ifan yn agor yr amlen ac yn darllen y llythyr sydd ynddi, cyn rhwygo'r llythyr a'r amlen yn ddarnau mân, camu at y clawdd, chwilota yng nghanol y borfa a'r blodau gwyllt, swmpo hen dwll cwningen, a hwpo'r darnau i'w ddyfnder. Pan dry i wynebu Defi mae golwg ryfedd ar ei wyneb.

– Defi . . .

– Ie?

– Ti'n cofio beth ddigwyddodd echdoe?

– Echdoe?

– Ie. Lladd Twmi Tew. Ti'n cofio? 'I dra'd e fry yn yr awyr, a'r twca'n dod lawr, a'r gwa'd yn pistyllo? Ti'n 'i gofio fe'n sgrechen?

Wrth gwrs bod Defi'n cofio. Oni chafodd ei orfodi i wylio'r gyflafan er mwyn profi nad oedd yn fapa mam? Ond cyn iddo gael amser i ateb mae Ifan wedi gafael yn ei goler, ac wedi stwffio'i ddwrn o fewn modfedd i'w drwyn.

– Un gair, reit? Un gair wrthyn nhw yn 'Roernant, neu yn Ffynnon Oer, neu wrth unrhyw un arall yn y byd i gyd, am hyn, a ti'n gwbod beth ddigwyddith?

Y llygaid llo sy'n ateb 'Na'.

– Fe ladda i di – reit! Fyddi di'n wa'd i gyd – yn gwmws fel y mochyn! Fyddi di wedi marw! Ti'n deall?

Wrth gwrs bod Defi'n deall. Oni welodd y mochyn diberfedd yn hongian ben-i-waered o'r bachyn yn sgubor Ffynnon Oer, ei gwt bach fry a'i dafod yn brwsio'r llawr? Ond cyn iddo ddweud dim mae dwrn Ifan yn cosi ei drwyn yn fygythiol.

– Wedyn ma'n rhaid i ti addo. Addo na wedi di ddim gair!

– Addo! Cris-croes!

– Gẁd. Nawrte, cer gatre. Glou!

Mae Defi'n barod iawn i ufuddhau i'r gorchymyn ac i'r gic i'w ben-ôl, ac yn carlamu nerth ei goesau pwt i lawr lôn Oernant heb oedi unwaith i droi ei ben i edrych ar ei arwr, sy'n rhoi ochenaid ddofn cyn dechrau cerdded yn benisel i lawr y lôn at Ffynnon Oer.

Dyw Ifan Bach ddim yn sylweddoli, wrth gyrraedd y clos, mai fe yw testun y cecru rhwng Rhys a Martha. Dyw e ddim yn sylweddoli mai cecru parhaus yw hanes y ddau y dyddiau hyn. Does neb yn sylweddoli hynny, gan mor gywrain yw eu crefft o gelu pob tyndra ac anghydweld, er eu bod nhw'n anghydweld ynglŷn â phopeth. Penderfyniad Esther i ddod â gwely Ifan lawr i'r parlwr ddechreuodd y ffrae gynnau, a Rhys yn dadlau bod hunan-barch y claf yn bwysicach na hwylustod, a Martha'n dadlau bod iechyd ei mam yn bwysicach na dim. Ond, yn ôl ei harfer, fe ildiodd yn anfoddog yn hytrach na dal ei thir, a phenderfynu dianc i'r tŷ i baratoi te i Ifan Bach. Ond os do fe. Roedd datgan hynny wrth ei gŵr fel dangos macyn coch i darw.

– O ie! Jengyd! Dy ateb di i bopeth! A pam ddiawl wyt ti'n mynnu babïo'r crwt 'na? Neud te i Ifan Bach. Neud 'i frecwast e. Neud 'i waith cartre fe. Gweud stori wrtho fe yn 'gwely! Sychu'i ben-ôl e!

– Paid â siarad dwli!

– Wy'n gweud wrthot ti, ti'n 'i fabïo fe!

– Wel? Wyt ti'n 'y meio i? Gan bo' dim plentyn 'da fi'n hunan!

– 'Co ni off ! Yn 'y meio i am hynny 'to! Ar ben popeth arall!

Petai'r ddau'n onest, fe fydden nhw'n cyfaddef mai braidd gyffwrdd â godrau eu hanhapusrwydd dwfn y maen nhw – yr anhapusrwydd a fydd yn eu hamgylchynu'n llwyr maes o law.

Ond dyma'r crwt ei hunan yn ymddangos wrth glwyd y lôn, a

Martha'n sylwi ar unwaith ar ei wyneb clwyfedig ac yn gofyn y cwestiwn amlwg.

– Beth ddigwyddodd i ti?

Mae ei ateb ar flaen ei dafod gan iddo ei ymarfer ers ben bore.

– Gwmpes i ar yr iard.

– Dere 'weld dy law.

Gorchymyn annisgwyl nad oes modd ei osgoi. A does dim modd osgoi'r hyn sy'n digwydd nesaf chwaith – Esther yn ymddangos yn ddisymwth yn ôl ei harfer, yn agor y dwrn bach caeëdig i ddatgelu craith y wialen, ac, er gwaethaf ymbil Martha y dylai adael llonydd iddo, er gwaethaf gorchymyn Rhys y dylai adael i'r crwt 'dyfu lan, er mwyn y nefo'dd!', yn ei lusgo at y tŷ gan weiddi dros ei hysgwydd:

'Os cewch chi'ch dou blant, fe gewch chi bregethu wrtha i shwt ma 'u magu nhw!

Ac yna clep ar ddrws y ffrynt a Rhys a Martha'n llygadu'i gilydd yn bryderus. A wyneb gwelw Ifan Jenkins yn pipo drwy ffenest y bedrwm fowr.

Yn y gegin, mae'r cloc mawr yn tician cyfeiliant i bregeth Esther.

– Wel, ti'n mynd i weud wrtha i beth ddigwyddodd?

Cloc yn tician a dyrnau a gwefusau wedi'u cau'n dynn yw'r unig ateb.

– Y cynta erioed o blant Ffynnon Oer i ga'l blas y wialen! Ti'n sylweddoli hynny? Ti'n falch o hynny?

Prin y byddech yn sylwi ei fod yn ysgwyd ei ben.

– Shwt allet ti neud hyn i fi? I dy fam dy hunan? A wy'n gofyn unweth 'to! Beth 'nest ti i haeddu'r wialen?

Mae deg eiliad o ddistawrwydd yn hen ddigon.

– Reit, nes bo' ti'n penderfynu gweud wrtha i'n gwmws beth ddigwyddodd, fe gei di fynd lan i'r gwely. A 'na ddiwedd ar dy whare di am heddi!

Awr yn ddiweddarach, *clywed* y chwarae a wna Ifan Bach. O'i wely yn y bedrwm ganol gall glywed y gweiddi a'r chwerthin ar y clos. Mae'r Albion wedi cyrraedd – a hanner y gymdogaeth yn ei sgil, yn ôl y sŵn. Ac un crwt bach yn gorfod gorwedd yn ei wely, y dillad dros ei ben, yn gwrando ar y sbort, cyn codi'n betrus a mynd ar flaenau'i draed i bipo'n ddistaw bach drwy'r ffenest, a hynny ar yr union eiliad y mae Rhys yn codi Defi Oernant i sedd yr Albion. Does dim rhyfedd ei fod yn dechrau llefen. A does dim rhyfedd bod Ifan Jenkins, yr ochor draw i'r pared, yn ei wely yn y bedrwm fowr, yn llefen wrth ei glywed yn llefen, ac yn gweiddi arno drwy ei ddagrau:

– Ifan Bach! Dere miwn fan hyn!

Mae'r ddau'n gofalu sychu'u dagrau cyn wynebu'i gilydd – yr hen ŵr musgrell yn nyfnder y gwely plu, a'r crwt bach eiddil, penfelyn, yn ei grys nos, yn sefyll yn droednoeth ar y leino.

– Ifan Bach, ma' dy wyneb di fel ca' wedi'i aredig! Fuest ti'n wmladd, medde dy fam.

– Do . . .

– Â Benji Pen-parc.

– Ie . . .

– Fuest ti'n ddewr iawn, 'na'r cwbwl weda i. A shwt olwg o'dd arno *fe*?

– Ddim yn dda . . .

Mae'r arlliw lleia o wên yn hofran ar wyneb y ddau. Ac yna mae Ifan yn pwyso'n boenus, lletchwith tuag ato, ac yn sibrwd:

– Nawrte, gwranda di ar dy dad . . . Os cei di'r wialen 'to, paid â llefen. D'yn ni'r dynion byth yn llefen. Dy'n ni ddim *fod* llefen. Gad ti hynny i'r merched!

Eiliadau hir o dawelwch rhyngddynt, cyn i Ifan sibrwd eto:

– Gwed wrtha i nawrte, pam fuest ti'n wmladd? Beth yn gwmws wedodd Benji?

Mae'r cloc mawr yn taro chwech, ac Ifan Bach yn gostwng ei lygaid a rhwbio un droed noeth yn erbyn y llall. Mae'r crwt ar fin dweud rhywbeth. Ond yn sydyn, ac Esther wedi agor y drws a sefyll yno fel delw, mae'r rhith wedi'i dorri a does dim dewis ganddo ond rhoi un edrychiad trist ar Ifan cyn llusgo'n ôl i'r bedrwm ganol.

– Wedodd e rwbeth wrthot ti?

– Naddo, dim.

Mae Ifan yn ysgwyd ei ben ac yn pwyso'n ôl yn erbyn y gobennydd. Aiff Esther at y ffenest a syllu drwyddi gan bletio'i ffedog.

– Wyt ti'n rhy llawdrwm arno fe, Esther.

– Gad ti'r crwt i fi.

– Ond ma' rhwbeth yn 'i fecso fe.

– Ma' pawb yn canmol yr Albion. Un da yw e. Fel newydd. Fe ga'th Rhys fargen, whare teg iddo fe, a fe neith e am flynydde – taclo'r gwair *a'r* llafur . . .

Mae ei gŵr yn nabod Esther Jenkins yn well na neb. Pan fydd hi'n siarad fel pwll y môr ac yn pletio'i ffedog, mae rhywbeth yn ei phoeni. Ac fe ŵyr yn iawn beth sy'n ei phoeni'r funud hon.

– Esther, trefna bod Enoc yn dod 'ma bore fory.

– I beth?

– I helpu Rhys i gario gwely lawr i'r parlwr . . . I helpu 'ngharío inne lawr 'na hefyd.

Maen nhw'n syllu ar ei gilydd, y naill yn deall meddyliau'r llall.

– Dim ond dros dro. Nes i fi wella'n iawn. A'r haf sy o 'mla'n i, ontefe?

Fe'u gadawn, y gŵr a'r wraig, cymheiriaid oes, yn cofleidio.

*

Os creodd yr Albion gynnwrf ar glos Ffynnon Oer, yn Acton Street mae siarabáng newydd sbon Daniel Jenkins yn destun rhyfeddod. Un sgleiniog, du ydyw – a'i sglein yn adlewyrchu wynebau'r hanner dwsin sy'n syllu arno'n llawn edmygedd. Ar hyd ei ochrau mae'r geiriau *JENKINS' TAXIS* a rhif *telephone* y Dairy wedi'u hysgrifennu'n felyn llachar a diamwys. Gwena Daniel o glust i glust wrth bolisho'i fabi newydd yn llawn balchder, gan fwynhau gwrando ar ganmoliaeth Isaac Cohen a dau neu dri cymydog arall. Dyw ei rieni ddim mor ganmoliaethus, er eu bod, yn ddistaw bach, yn falch o'i ysbryd mentrus. O'r diwedd, drwy ryw ryfedd wyrth, daeth tro ar fyd i'w mab afradlon. Dychwelodd y ddafad ddu i gorlan synnwyr a challineb – os mai synnwyr a challineb yw benthyg crugyn o arian a'i fuddsoddi mewn dau gar mawr, crand – a'r siarabáng – a chyflogi ambell un fel John yn yrrwyr achlysurol gyda'r nos neu ar adegau prysur. Digwydd yr adegau hyn yn aml, ac mae galw mawr cynyddol am y *Jenkins' Taxis* hynod foethus ar gyfer priodasau ac angladdau ledled Llundain. Y seremonïau pwysig, angenrheidiol hyn yw sail y fenter ddiweddaraf, sef y siarabáng.

Rhag iddo arddangos gormod o frwdfrydedd dros y fenter, gwna Isaac sioe o achwyn nad oes lle i barcio'r siarabáng gan fod y stryd yn gul a'r iard yn orlawn, rhwng y ceir a'r hen gart llaeth na fu calon ganddo i'w waredu, er gwaetha'r ffaith na fu ceffyl rhwng ei siafftiau ers pum mlynedd. Mae'r ateb gan yr hen Iddew hirben.

– *He'll find a way to solve the problem. Daniel Jenkins always finds a way . . .*

Amen . . .

*

Mae'r Parchedig William Jones yn croesawu Jane ac Emlyn i mewn i'w stydi, ac yn ymddiheuro am yr annibendod wrth glirio llyfrau a phentyrrau o bapurau er mwyn gwneud lle ar y cadeiriau siabi. Yna aiff i eistedd wrth ei ddesg, sy'n drwch o lyfrau a phapurau a chwpanau gwag – a lluniau. Dau lun mawr, mewn fframiau hardd. Y naill yn llun ohono'n sefyll yn dalsyth y tu ôl i'w wraig, sy'n magu eu merch fach, Hannah, ar ei glin, a'r llall yn llun o Hannah'n ddeunaw oed, yn hardd, yn hyderus, herfeiddiol o hardd. Dau hen lun – cysuron hen ŵr unig.

– Rŵan 'ta, Jane ac Emlyn, cyn dechrau sôn am y gwasanaeth priodasol ei hun, mi hoffwn i gynnal rhyw seiat bach efo chi. 'Seiat brofiad', chwedl y Pêr Ganiedydd. 'Dach chi'n gybyddus â'i *Dductor Nuptiarum*? Y Cyfarwyddwr Priodas?

Does dim un o'r ddau'n gyfarwydd â champwaith Williams ac mae'r cwestiwn yn eu taflu, braidd, gan eu bod ar bigau'r drain yn barod. Mae trafod eich priodas gyda'ch gweinidog yn anodd â'r gair 'gorfod' yn hofran yn ormesol yn eich pen.

– Hitiwch befo. Be faswn i'n licio'i ddeud ydi fy mod i'n barod i'ch cyfarwyddo chi – nid i'r gradda y mae Williams yn 'i neud wrth gwrs – faswn i ddim yn meiddio honni 'mod i'n medru camu i sgidia hwnnw. O na!

Hirwyntog, mawreddog, paldaruog – dyna'r geiriau a ddaw i feddwl Emlyn Walters wrth wrando ar yr hen ŵr barfog, crwm yn mynd drwy'i bethau. Cyfarwyddyd priodasol! Gan un, mae'n siŵr, a ildiodd pob emosiwn a phob nwyf a nwyd i ddefod a pharchusrwydd, a hynny o dan gochl bywyd priodasol hesb a blynyddoedd diflas o 'gariad pur sydd fel y dur'. Ai fel hyn y bydd yntau ymhen ugain mlynedd? Yn rhygnu 'mlaen ynglŷn â 'chymryd y cam hollbwysig dros y trothwy', am 'garu'ch gilydd weddill eich bywydau' ac am 'ddau yn mynd yn un'? Ond y geiriau 'glân briodas' sy'n peri ias ar hyd ei feingefn.

– Dwi'n hoffi'r ymadrodd 'glân briodas'. Mae o'n deud y cyfan, tydi, yn crisialu nod y cwlwm priodasol, sef clymu dau yn un heb gelwydd, rhagrith na ffuantrwydd.

Mae'r geiriau'n atseinio yn ei ben. Celwydd, rhagrith a ffuantrwydd – conglfeini 'glân briodas' a 'chwlwm priodasol' bondigrybwyll Jane ac yntau. Gall deimlo llygaid Jane yn syllu arno. Ond dyw e ddim yn edrych arni. Fiw iddo, rhag iddo ddatgelu'i anesmwythyd, rhag iddi sylweddoli cymaint y mae'n ffieiddio'r rhaffu ystrydebau. Rhag i'w lygaid fradychu llawer mwy. Rhag iddyn nhw fradychu'r cyfan.

Mae ei lygaid wedi'u hoelio ar ddarlun dyfrlliw ar y wal uwchben pen y gweinidog. Llun o garw mawr a gornelwyd gan haid o gŵn sgyrnygus sy'n ymosod arno'n ddidrugaredd. Mae ei ben yn uchel a'i gyrn mawreddog yn cribo brigau'r goeden y tu cefn iddo. Ond ei lygaid sy'n dal sylw Emlyn, sy'n peri iddo fethu tynnu'i lygaid yntau oddi arnynt. Maen nhw'n enfawr, yn wyllt, yn wyn gan fraw. Gall Emlyn dyngu ei fod yn eu gweld yn symud, yn rowlio'n afreolus. Mae'r carw wedi sylweddoli ei bod wedi canu arno. Does dim dianc iddo bellach. Mae ei dranc gerllaw.

Teimlo llaw Jane ar ei fraich a chlywed llais y gweinidog yn dweud ei enw sy'n ei dynnu'n ôl o'r ucheldiroedd creulon i'r stydi fyglyd.

– 'Dach chi'n cytuno, Emlyn?

– Ydw.

Beth oedd y cwestiwn? Does dim ots. Ateb cadarnhaol oedd ei angen – *sydd* ei angen i bob cwestiwn, bellach. Ydw, ie, oes a gwnaf. Wyt ti'n caru Jane? Ydw. Y ferch nad wyt ti, mewn gwirionedd, yn ei nabod? Ie. Oes dyhead gen ti dreulio gweddill dy fywyd yn ei chwmni? Oes. A gymeri di'r ferch hon yn wraig briod, ffyddlon i ti? Gwnaf. Gwnaf, gwnaf – a gorau byd po gyntaf, er mwyn cael diwedd ar y peth.

*

– Jane fach Jenkins yn priodi! Druan fach â hi.

Noson braf o wanwyn, ac mae'r Parchedig Luther Lewis, y cyn-weinidog, yn pysgota gyda'i gyfaill Enoc Jenkins, y cyn-forwr. Dau gyn-grwydyn a welodd sawl tro ar eu byd, yn rhoi'r byd yn ei le ar lan afon Aeron.

– Faint neith hi erbyn hyn? Bron yn ddeg ar hugen siŵr o fod? Ody hi'n dala i fod yn groten bert?

– Ody glei! Tynnu ar ôl 'yn hochor ni o'r teulu. Yr un boerad â'i Hwncwl Enoc, medden nhw.

– Bachgen, bachgen! Shwt allith hi fod yn bert? Ond gwed wrtha i am y darpar.

– Emlyn Walters. *Doctor* Emlyn Walters.

– Un o'r rheiny sha' Harley Street. Nai iddo *fe*. Hwnnw nag y'n ni ddim fod 'i enwi.

– Mab bedydd, dim nai. Ond pam wyt ti'n holi, y jawl, a tithe'n gwbod y cwbwl yn barod?

Gwenu a wna Luther. Gwenu'r wên fach enigmatig honno sydd yn gymaint rhan ohono â'i glogyn du a'i het gantel fawr. Daeth dyddiau'r crwydro mawr i ben ac Aberaeron a'i chyffiniau yw ei filltir sgwâr y dyddiau hyn. Aberarth a Phennant tua'r gogledd, Llwyncelyn, y Dderwen Gam a Llanarth i'r de, ac ambell bererindod prin i Lanbed, Aberteifi a Thregaron, ac i'r Llyfrgell Genedlaethol yn Aberystwyth bob hyn a hyn. Croeso'r ffermydd lleol sy'n ei gynnal. Bwyd a dillad ac ambell swlltyn yn gyfnewid am fore da o waith, a'r beudai a'r ysguboriau yn gysgod pan na fydd fawr o gysur mewn bôn clawdd.

Mae Enoc yn ei wylio'n syllu dros yr afon, i fyny'r dyffryn coediog tuag at Dôl Gwartheg, ac yn rhyfeddu, fel y gwna bob tro y bydd yn ei gwmni, bod dyn mor alluog â hwn, bod athrylith fel hwn, wedi gwneud cymaint o gawl o'i fywyd. 'Gweinidog bach wedi mynd yn rong' yw'r disgrifiad digon caredig ohono ar lawr gwlad. A Luther yn gwybod hynny'n iawn ac yn ateb yn smala mai *bywyd* y gweinidog aeth yn 'rong'. 'Ond 'na fe, petai bywyd wedi mynd yn reit, fydden i ddim gwerth 'y nabod.' Ac mae'n rhaid i Enoc a phawb arall gydnabod a chyfaddef hynny. Luther yw Luther – yr enigma egwyddorol, addysgiedig, addfwyn. A'i addfwynder sy'n peri i'r ardal gyfan ei groesawu a'i gofleidio.

A nawr, a'i lygaid ymhell, a sŵn yr afon yn gyfeiliant iddo, dyma fe'n dweud rhywbeth, yn dawel, yn ei lais melfedaidd.

– 'Pan drois i'm gwâl roedd Aeron
Bron am y mur â mi,
Hithau'n crio hefyd
Am wely yng nghôl y lli.'

Cerdd newydd Crwys i Aberaeron, Enoc bach!

– Crwys, wir! Wfft iddo fe! Pryd odyn ni'n mynd i ga'l cerdd 'da Luther Lewis? 'Na beth wy *i* isie'i wbod!

Y wên enigmatig eto. A'r ateb, yr un mor enigmatig.

– Pan ddaw *hi* heibo . . .

– Pwy?

– Yr Awen, Enoc bach. Yr Awen.

– Wel ma'n well iddi alw heibo'n glou – i achub y boi bach mwya didoreth gwrddes i eriôd yn 'y mywyd!

– Hyd yn o'd yn Rio? A Buenos Aires? A Morocco? A beth am Zanzibar a Marrakesh? Welest ti sawl boi bach didoreth ffor'ny, glei!

– Dim un o dy galibr di, gwboi!

Mae'r ddau'n chwerthin yn galonnog.

– Ma' sbort i ga'l, Enoc bach!

– O's, glei! A jawl eriôd, ma'n rhaid ca'l 'bach o hwnnw ne' fydde bywyd ddim gwerth 'i fyw!

Yn sydyn, wrth gofio beth fydd ei orchwyl drannoeth, fe ddifrifola Enoc.

– Ges i neges gynne, Luther. Ti'n gwbod le fydda i bore fory? Lan yn Ffynnon Oer. Yn helpu gosod gwely i Ifan Jenkins yn y parlwr. A wyt ti'n gwbod beth yw ystyr hynny.

Y cyfan a wna Luther yw nodio'i ben. Mae 'na bethau sy'n rhy drist i'w trafod.

*

Mae Ifan Bach yn gorwedd yn ei wely, yn chwarae meddyliau wrth wylio'r cysgodion yn dringo drwy'r ffenest ac yn ymestyn fel crafangau dros y nenfwd. Bu yma ers oriau bellach, fel carcharor mewn cell, yn dioddef ei gosb yn ddewr.

Dewr? Pwy ddewr, ac yntau wedi bod yn llefen fel bapa mam nes bod ei ben yn dost a'i lygaid wedi chwyddo'n goch? Roedd y peth yn ddirgelwch ac yn ddychryn iddo. Fe o bawb, Ifan Bach Jenkins, a roddodd grasfa i fwli'r ysgol, yn llefen ar dorri'i galon am gael y wialen ar ei law!

Erbyn hyn, a'r stafell yn tywyllu'n sydyn, fe ddaw pethau'n gliriach iddo'n raddol fach, ac wrth ddilyn y cysgodion i lawr y wal rhwng y cwpwrdd a'r drws, fe ddechreua sylweddoli nad y gosb na'r boen oedd y rheswm dros ei ddagrau. Beth felly? Am ddwyn gwarth ar ei deulu? Am siomi'i fam?

Yn sydyn mae Ifan Bach yn cau ei lygaid. Mae'r cysgodion yn ei ddychryn. Mae'r gair 'mam' yn adlais poenus yn ei ben.

'Mam' . . . 'Dy fam' . . . 'Dim dy fam yw dy fam' . . .

Llais Benji Pen-parc. Ei lygaid bach mochyn. Gwaed ar ei wefus . . .

– Ifan?

Llais Martha.

– Ifan, wyt ti'n iawn?

Ei hwyneb yng ngolau'r lamp y mae'n ei dal yn ei llaw.

– 'Mond dod i weud nos da. A phaid â becso nawr. Ma' pawb yn deall taw colli dy dymer 'nest ti. A phwy alle dy feio di, os o'dd Benji Pen-parc yn neud sbort am dy ben di. Hen fwli yw e. Ond cofia bod rheswm dros hynny. Cofia shwt le sy 'da fe gatre. Cofia un bach mor dwp yw e, a bod cenfigen yn 'i fyta fe achos bo' ti'n neud mor dda yn 'rysgol. A chofia nag yw Mam mor grac ag wyt ti'n 'i feddwl. Reit? Nawr cer i gysgu . . .

– Martha . . .

– Ie?

– Ife Mam yw Mam?

*

Oriau mân y bore, ac mae Martha'n dal lamp uwchben y llo sydd newydd ymbalfalu'i ffordd i'r byd, ac sy'n gwingo wrth i Rhys glirio'i geg a'i drwyn a'i orfodi i gymryd ei anadliad cyntaf.

– Un bach gwryw yw e, Martha. Dim problem, un bach arall, glew, i'r coffre.

Ac yna does dim i'w wneud ond aros am y brych a gwylio'r fuwch yn llyfu ei hepil yn falch. Oes. Mae angen trafod. Mae angen rhywun i gynghori Martha ynglŷn â chwestiwn Ifan Bach.

– 'Ife Mam yw Mam!' Yn gwmws fel taranfollt! Y blwmin Benji 'na! Os na chlymith e 'i dafod fe geith e grasfa 'da finne 'fyd! Alle fe whalu'r cwbwl!

Dyw Rhys ddim yn tynnu'i lygaid oddi ar y fuwch a'i llo.

– Allith rhywun heblaw Benji whalu'r cwbwl. Ma' hi'n syndod nad o's neb wedi neud cyn hyn.

– Beth ti'n dreial weud?

– Dim. Pwy ateb roiest ti?

– 'Wrth gwrs taw Mam yw Mam!' Beth arall allen i fod wedi'i weud?

– Paid â gofyn i *fi*!

– I bwy arall ofynna i?

Mae Rhys yn troi ac yn syllu'n galed arni.

– Tria dy fam!

– Alla i byth â sôn 'run gair wrthi *hi*!

– 'Na'ch problem chi fel teulu, ontefe! Cwato pethe, gweud celwydde! A fe weda i hyn wrthot ti hefyd. Falle bo' dim rhyw lawer 'da fi yn y clopa, ond ma' 'da fi ddigon i ddeall un peth. Trueni na fydde Jane wedi magu'r crwt 'na o'r dechre. Fydde lot llai o gawdel. Ond ca'l 'i wared e 'na'th hi, fel rhyw lo bach gwryw. Dim unweth, ond dwyweth myn jawl i! Wel rhynti hi a phawb ohonoch chi a'ch cawl weda i!

*

Drannoeth, mae Mrs Benson Jones wedi pwdu. Mae ei doctor, Dr Emlyn Walters, newydd ddweud wrthi, i bob pwrpas, nad oes dim yn bod arni ac mai gwastraff ar eu hamser nhw ill dau yw ei hymweliadau mynych â'r syrjeri. Ond wrth hwylio allan yn ei thymer, pwy wêl ond y doctor 'iawn' – Doctor Robert Roberts – sydd, er ei fod wedi ymddeol o'r practis ers rhai blynyddoedd, yn gallu rhoi tri thro am un i'r cwac bach ifanc a gyrhaeddodd yn ei le. Ar ôl iddo wrando ar ei chwyn a rhoi addewid iddi y bydd yn ceryddu'r cwac, mae hi'n ymadael yn llai ffrom. Ac mae'r ddau, y doctor iawn a'r cwac, yn chwerthin am ei phen dros wydraid bach o frandi.

– Ond cymer di air o gyngor gin dy dad bedydd, Emlyn bach. Mae angan cadw Benson Joneses y byd yma'n hapus. A tydyn nhw byth yn hapus heb rwbath i boeni yn ei gylch. Felly mymryn o seicoleg, 'ngwas i! Mymryn o seicoleg! A chofia'r hen ddiharab, 'Llawer gwir, gora'i gelu'. Gyda llaw, sut aeth petha efo'r Parchedig? Lwyddodd o i d'osod di a Jane ar y llwybr priodasol cul?

Yn sydyn mae Emlyn yn rhewi. Gallech dyngu ei fod wedi gweld drychiolaeth. A gallech ddadlau mai dyna beth yn union sydd o flaen ei lygaid – darlun o Jane mewn gwisg wen hardd, ei bola wedi chwyddo'n fawr, yn gwenu'n gariadus arno. Mae hi'n estyn ei llaw gan fflachio'i modrwy aur o dan ei drwyn . . .

– Emlyn, mi wyt ti'n welw iawn yn sydyn.

Does dim dewis ganddo ond rhannu'r gyfrinach fawr. Heb unrhyw deulu agos, nac unrhyw ffrind cyfrifol, call, hwn – a fu fel tad iddo ers blynyddoedd – yw'r unig berson yn y byd y gall ymddiried ynddo. Felly 'bant â'r cart', fel y byddai Jane a'i thylwyth yn ei ddweud.

– Mae Jane yn feichiog.

Ar ôl syllu arno am rai eiliadau, mae Robert yn codi ac yn arllwys mwy o frandi i'w gwydrau.

– Does neb yn gwbod dim. Mi gytunon ni i beidio â sôn wrth neb.

– Neb ond fi?

– Na. Ŵyr Jane ddim am hyn.

Saib arall wrth i Robert gynnau sigâr a chwythu'r mwg yn gylchoedd.

– Isio'ch cyngor ydw i, Yncl Robert. Ddyliwn i ddeud wrth rywun?

– Na . . .

– Ond mae hi'n anodd celu'r gwir. A sut medra i wynebu'r gwasanaeth priodasol efo cydwybod glir? Sôn at syrffed am 'lân briodas' oedd y gweinidog neithiwr.

– A dyna fydd hi. Ers pryd mae Jane yn disgwyl?

– Rhyw ddeufis, dri.

– Does dim problem, felly. Babi seithmis fydd o. Fydd neb ddim callach. A fel deudis i – 'Llawer gwir, gora'i gelu' yntê?

*

Mae Ifan Jenkins yn ei wely dierth yn y parlwr, rhwng y *commode* a'r ford fach sy'n dal y Beibl mawr, jẁg a bowlen, a thywel glân. Heblaw am gwpwrdd gwydr bach, dyna'r unig gelfi. Cariwyd y ford a'r piano i'r gegin – ar ôl cario'r coffor derw oedd yn y gegin i'r sgubor.

Mae golwg wedi ymlâdd ar Ifan. Gallech dyngu mai fe, nid Rhys ac Enoc, a fu'n cario, cario ers oriau – o'r gegin i'r sgubor, o'r parlwr i'r gegin, ac yna o'r llofft i lawr i'r parlwr. Dyna beth oedd bore trwm. Ond gwaith ysgafn iawn oedd cario Ifan. Roedd fel plentyn ym mreichiau Enoc, ei ddwylo musgrell â'u rhwydwaith o wythiennau glas wedi'u plethu am ei wddf. Mae fel plentyn nawr, un sy'n brwydro yn erbyn dagrau o wendid ac o dristwch. Ac o ofn. Ond llwydda i wenu, ac i annerch ei gynulleidfa.

– 'Ma fi 'te bois! Yn y ca'-bach-dan-tŷ, fel pob anifel tost.

– Gwella a chryfhau ma'n nhw'n neud yn fan'ny, Mr Jenkins!

Rhys, chwarae teg iddo, yn ymdrechu i gynnal y twyll. Ac yna tawelwch, a phawb yn ddwfn yn eu meddyliau. Esther, yn ymdrechu i'w hargyhoeddi ei hunan mai dyma'r unig ateb, er na fydd yn ateb popeth. Martha, yn llawn gofid am Ifan Bach. Ddylai hi ddweud wrth ei mam am ei gwestiwn? Beth sy'n digwydd yn yr ysgol y bore 'ma? Oes rhywun arall yn awyddus i'w oleuo ynglŷn â'i fagwraeth? Rhys, wedyn, â'i feddwl yn gawdel ynglŷn â'r teulu rhyfeddol hwn y mae bellach yn rhan o'u cawdel. Ac Enoc, yn dychmygu pwy fydd yn ei gario yntau o'r llofft i'r parlwr pan ddaw ei dro. A Marged Ann, yn ei chael yn anoddach na neb i guddio'i phryder.

Ac Ifan, yn ei wely dierth, yn sylweddoli mai yma y bydd yn treulio gweddill ei ddyddiau prin. Ac mai yma, yn hwyr neu'n hwyrach, y bydd yn marw.

*

Ddiwedd prynhawn, a'r plant newydd fynd adre o'r ysgol, mae Mister Williams y scwlmishtir yn paratoi gwersi ar gyfer trannoeth pan gerdda Esther i mewn i'w stafell ddosbarth. Mae hi'n awyddus i ymddiheuro iddo am ymddygiad ei mab ac am ei sicrhau na fydd y fath beth yn digwydd eto. Mae yntau'n ddiolchgar iddi ac yn ei sicrhau hithau mai ar Benji Pen-parc yr oedd y bai. Ond wedi'r cwbwl, pa obaith sydd gan hwnnw, ac yntau'n blentyn siawns?

Gwena arni dros ei sbectol gron. Gwên o gyd-ddealltwriaeth? Neu o gydymdeimlad? Neu o falais, falle? Ydy'r dyn yn gwybod mwy nag y mae'n ei gyfaddef? Ydy e'n awyddus i roi cyfle iddi fod yn onest ynglŷn â magwraeth Ifan Bach? Neu falle na ŵyr ddim yw dim am gyfrinach Ffynnon Oer. Go brin . . .

A dyma Esther, unwaith eto, yn dioddef pang o gyfyng-gyngor, fel y gwnaeth sawl tro ers geni Ifan Bach. Deng mlynedd hir o dwyll, o holi 'pwy sy'n gwbod beth?', o amau pob gwên deg. A nawr dyma hwn yn gwenu arni dros ei sbectol gron. Beth yw ei gêm? Ydy e'n gwybod beth oedd wrth wraidd y ffrwgwd rhwng Ifan Bach a Benji? A ddywedwyd rhywbeth? A ddatgelwyd rhywbeth? Teimla Esther yr ias cyfarwydd i lawr ei chefn . . .

Ond mae'r scwlmishtir yn siarad eto. Fel yr eglurodd wrthi yn ei lythyr, does ganddo ddim syniad pam y bu'r ddau'n ymladd. Doedd y naill na'r llall ddim yn barod i ddatgelu hynny. Rhywbeth dibwys, siŵr o fod. Rhyw gynnen, rhyw fendeta rhwng dau fachgen.

– *Boys will be boys*, Mrs Jenkins fach.

Ond, mae'n rhaid iddo gyfaddef mai'r unig syndod yw bod y digwyddiad yn hollol annodweddiadol o Ifan, sydd fel arfer yn fachgen ufudd, cwrtais, ac yn gredit i'r ysgol – heb sôn am i'w deulu a'r ardal gyfan. Ac mae ganddo ddyfodol disglair iawn . . .

Erbyn hyn, dyw Esther ddim yn gwrando arno. O drwch blewyn, aeth y perygl heibio, am y tro. Ond mae'r sôn am lythyr yn ddiddorol.

– Mr Williams, am bwy lythyr y'ch chi'n sôn?

*

– Fe ofynna i 'to! Am y tro diwetha! Ble ma'r llythyr 'na? A phaid â gwadu'r tro 'ma neu fe gei di glipen galed 'da fi, a llythyr i fynd nôl at Mister Williams!

Mae'r llygaid glas yn dal i syllu arni, heb ddatgelu dim.

– Reit, fe ofynna i i Defi Oernant.

Mae hi'n troi i fynd drwy'r drws.

– Mam . . .

– Ie?

– Fe rwyges i fe, a'i gwato fe . . .

– Ym mhle?

– Lawr twll cwningen.

Beth 'nelech *chi* petaech chi yn sgidiau Esther Jenkins?

Mae hi'n gwenu. Ac yna mae hi'n cofleidio'r crwt bach penfelyn sy'n ei galw'n 'Mam'.

*

Mae Jane yn ffarwelio â'i hewyrth Isaac ar riniog Siop y Dairy.

– Fydda i ddim yn hwyr.

– 'Na ti, 'merch i. Ond ma' hi'n hen bryd i ti ac Emlyn briodi! Wyt ti'n ffaelu hala dwyrnod heb 'i weld e!

Awgrym fach o wên ac i ffwrdd â hi. Mae Isaac Jenkins yn ei gwylio'n diflannu ar hyd y stryd, ac yna sylla'n hir ar wawr felen y gwyll yng ngoleuni crynedig y lampau, gan dynnu ar ei sigarét, a chwarae â'r mân geiniogau sydd yn ei boced. Ac yna'n sydyn, aiff at y til, ei agor – Ping! – a gafael mewn dyrnaid o arian mân. Yr eiliad honno fe ddaw Annie i mewn o'r cefn ond dyw hi ddim yn ei weld yn stwffio'r arian i'w boced.

– Neud y cownts wyt ti? Shwt ma'r sefyllfa heno?

– Ddim yn dda. Ond beth wyt ti'n ddisgw'l, a phethe fel'na'n wynebu pobol?

'Y pethe fel'na' yw'r arwydd *SORRY, NO CREDIT* sy'n llywodraethu dros y cownter. Oni bai bod Annie wedi blino'n lân fe fyddai'n rhesymu gyda'i gŵr, ac yn egluro, unwaith eto, nad oes ganddyn nhw unrhyw ddewis. Aeth y rhestr o enwau yn y llyfr credit yn rhy hir, a'r symiau o arian wrth bob enw yn rhy fawr. Ond bu'n ddiwrnod trwm, mae ei nerfau'n frau, ac, yn anffodus iawn i'w gŵr, fe gafodd hi lond bola ar y siop, ar eu perthynas fregus ac arno yntau.

– Paid ti â meiddio 'meio i, y clwtyn llestri diwerth! Arnat ti ma'r bai! Gwerthu'r wâc la'th am y nesa peth i ddim i'r Western Dairies, gwerthu dy siâr yn y caffi, gadel llonydd i bobol bido'n talu ni am hanner blwyddyn! 'Sdim rhyfedd taw siop siafins yw'r tipyn lle 'ma!

Oni bai bod syched yn ei dagu, byddai Isaac yn ei hateb – mai hen gonen annioddefol yw hi, ac y dylai stwffio'i siop a'i harwydd i fyny'i thin. Ond bodlona am y tro i'w hysbysu ei fod yn mynd am dro i gael awyr iach.

– Paid â bod yn hir! Fe fydda i'n mynd i'r *Sisterhood* mewn hanner awr.

– Wel caea'r siop yn gynnar! Achos 'sdim pwynt ca'l siop ar agor heb ddim cwsmeried!

Ac allan ag e i'r gwyll melyn.

*

Gŵyr Grace fod Robert yn awyddus iddi fynd i'r *Sisterhood*. Mae ganddo ddiddordeb mawr mewn taflu ei het i'r cylch gwleidyddol, felly mae hi'n bwysig i'w wraig gael ei gweld yng nghwmni Mrs Lloyd George a'i chwiorydd yn y ffydd.

– Os chwarae'r gêm wleidyddol, 'y nghariad i, waeth i ni 'i chwarae hi'n iawn. Cytuno?

Gan mai cytuno yw'r unig ddewis ganddi, mae hi'n gwisgo'i chot a'i het yn ufudd, yn rhoi cusan ar ei foch ac yn galw James, y *chauffeur*. Petai hi ddim ond yn sylweddoli, druan, mai rheswm arall hollol wahanol sydd gan Robert dros gael ei gwared am rai oriau.

*

– 'Hen estron gwyllt o ddant y llew,
A dirmyg lond ei wên.
Sut gwyddai'r hen droseddwr hyf
Fod Mam yn mynd yn hen?'

– Da iawn, ti, Ifan Bach. Wyt ti wedi'i ddysgu fe'n dda. Fyddi di'n barod erbyn steddfod y capel, a falle, os fyddi di'n ddigon da, fe gei di roi trei fach ar steddfod Cei Newydd.

Nawrte, dere lawr o ben y stôl a cher dros dy dable cyn mynd i'r gwely. Ma'r steddfode'n bwysig, ond ma'r *Scholarship* yn bwysicach.

Yn sydyn, mae Ifan Bach yn gafael amdani'n dynn.

– Hawyr bach, grwt! Beth yw hyn?

– Moyn gweud 'sori'. Am weud celwydd.

– 'Na ti fachgen mowr. A chofia di bido byth â'i neud e 'to. Achos 'sneb yn gweud celwydde yn y tŷ 'ma. Iawn?

– Iawn . . .

Gwyn dy fyd di, Ifan Bach, os wyt ti'n credu hynny.

*

Mae Jane a Robert yn eistedd yn ei gar, o dan gysgod rhes o goed yng nghyffiniau Kensington. Mae ei hwyneb yn welw yn erbyn düwch ei chot a'i het, gan atgoffa Robert o'r lleuad yn pipo drwy'r cymylau. Yng ngoleuadau'r ambell gar prin sy'n mynd heibio, mae ei llygaid yn disgleirio.

Mae hi newydd ddweud wrtho ei bod yn disgwyl plentyn. Mae yntau wedi ei llongyfarch a'i hannog i beidio â phoeni am 'be ddeudith pobol', bod 'babi seithmis' yn rhywbeth cyffredin a derbyniol. Ond mae hi'n torri ar ei draws. Nid dod i'w gyfarfod er mwyn trafod y babi newydd oedd ei bwriad. Ifan Bach sydd ar ei meddwl, a hwnnw y mae hi am ei drafod.

Ond mae geiriau nesaf ei chyn-gariad, tad ei phlentyn, yn torri fel cyllell drwyddi.

– '*Mother* – Jane Letitia Jenkins. *Father – unknown* . . . Robert Roberts – y'ch chi'n neb!' Dyna be ddeudist ti wrtha i, yntê, Jane? Ddeng mlynadd yn ôl, yn Ffynnon Oer. A tithau'n mynd i sterics, yn mynnu cadw Ifan Bach, yn mynnu nad oedd gen i a Grace yr hawl i wneud dim â fo? Ond rŵan, mi wyt ti isio'i drafod o. Isio'i drafod o efo *mi*, o bawb!

– Y cwbwl o'n i 'i isie o'dd ca'l magu Ifan Bach.

– Mi ddaru ti ailfeddwl yn sydyn iawn! Dwad â fo i Lundain, a'i anfon o'n ôl i Ffynnon Oer cyn pen y mis.

– Fe sylweddoles i mor anodd fydde 'i fagu fe. Y cele fe well magwreth yn Ffynnon Oer.

– Celwydd, Jane. Isio dy ryddid oeddat ti. Isio bod yn rhydd i neud *be* o't ti isio efo *pwy* o't ti isio. Ac mi ddaru ti lwyddo'n arbennig o dda, o'r hyn dwi 'di glywad. Ac yn y cyfamser, am naw mlynadd a mwy, fy mhres i oedd yn cynnal yr hogyn. A 'mhres i fydd yn 'i gynnal o eto, oherwydd fedri di ddim sôn yr un gair amdano wrth Emlyn.

Hanner munud o dawelwch tyn, a Jane yn edrych drwy'r ffenest a Robert yn cynnau sigâr cyn i Jane siarad eto. Cyn i Jane *sibrwd* eto . . .

– Galla . . . O, galla . . .

– Be wyt ti'n ddeud?

– Chi wedodd nawr, na allwn i sôn wrth Emlyn am Ifan. Ond fe alla i. Fe *ddylen* i. Dy'ch chi ddim yn cytuno?

– Dwi newydd ddeud. Mi fydda fo'n gamgymeriad, yn un mawr iawn hefyd. Ac mi fyddat ti'n difaru weddill dy oes.

– 'Na beth yw'n hanes i, difaru. Difaru pan fydd hi'n rhy hwyr. 'Na pam 'i bod hi'n bwysig neud y peth iawn nawr. A'r peth iawn 'i neud yw gweud wrth Emlyn am Ifan Bach. Ond os gweud, ma'n rhaid gweud y cwbwl.

– Be ti'n feddwl?

– Amdanoch chi – a fi – ac Ifan Bach.

– Tydw i ddim yn credu hyn! Dwyt ti ddim o ddifri!

– Do's dim dewis 'da fi! Neu pwy obeth sy i'n priodas ni? Pwy obeth sy 'na i unrhyw briodas gelwyddog? A wy'n caru Emlyn gymint, alla i byth â meddwl gweud celwydde wrtho fe!

Eiliad o edrychiad oer, ac yna mae Robert yn gafael ynddi'n chwyrn.

– Dim gair wrth Emlyn! Wyt ti'n dallt? Neu, fel deudis i, mi fyddi di'n difaru. Dwi'n 'i nabod o – yn llawar gwell nag wyt ti.

Mae hi'n syllu arno heb ddweud dim.

– Dwi'n gofyn eto! Wyt ti'n dallt?

Ei distawrwydd sy'n awgrymu i Robert ei bod yn deall yn iawn.

– Dyna hynna wedi'i setlo. Ty'd rŵan, mae hi'n amser i ti fynd i'w gyfarfod.

Gwich y teiars – ac mae'r motor car yn gwibio i gyfeiriad Harley Street.

*

Caiff Isaac Jenkins ffwdan i roi'r allwedd yn y clo. Ond ar ôl cymryd sip o'r botel, a'i rhoi'n ôl yn ddiogel yn ei boced, caiff well hwyl ar bethau, ac mae drws y siop yn agor heb fawr o wich. Cau'r drws yn dawel y tu ôl iddo yw'r gamp nesaf, ac er mwyn ei longyfarch ei hun ar ei lwyddiant, fe gymer sip fach arall.

Ond mae'r golau sydyn yn ei ddallu.

– Annie! Est ti ddim i'r *Sisterhood*?

– 'Ma fi wedi dy ddala di o'r diwedd, Isaac. O'n i'n ame ers amser, a tithe'n llyncu mints fel tase 'na ddim fory i ga'l, yn diflannu heb weud i le, yn hwrnu cysgu ganol y prynhawn. A'r wyneb 'da ti i achwyn bod arian yn brin, a tithe'n 'i yfed e bob cinog!

– Gan bwyll, nawr, Annie.

– Hen hyfwch, Isaac! Hen salwch tost! Heb sôn am dwyllo pawb! Wel? Beth sy 'da ti i weud?

– 'Mond un peth, Annie fach. Cer i grafu, fenyw!

*

Doedd gan Jane ddim syniad mai fel hyn y byddai Emlyn yn ei chroesawu. Cinio moethus ar y ford, canhwyllau, blodau, anrheg wedi'i lapio'n hardd. A chusanau – nes ei bod hi'n methu'n lân â chael ei gwynt.

– Dwi 'di bod yn hen ddiawl bach yn ddiweddar, Jane. Dwi'm yn gwbod be ddaeth drosta i. Busnas y babi wedi'n llorio i braidd, ac yna'r sesiwn efo'r gweinidog. Ond dwi isio gofyn dy faddeuant. Achos dwi'n dy garu di . . .

Cusan arall, ddofn . . . Ac yna mae Emlyn yn gafael mewn un blodyn o ganol tusw sydd ar y ford, ac yn mynd ar ei liniau o'i blaen.

– Madda i mi, Jane . . .

Ac mae Jane yn dweud rhywbeth y bydd yn ei ddifaru'n sydyn iawn.

– Emlyn, ma'n rhaid i fi weud rhwbeth wrthot ti. Rhwbeth fues i'n 'i gwato tan nawr. Ma' 'da fi blentyn, sy'n ddeg oed erbyn hyn, sy'n ca'l 'i fagu gatre yn Ffynnon Oer. Ifan yw 'i enw fe . . .

Unig ymateb Emlyn yw gwasgu'r blodyn yn ffyrnig yng nghledr ei law.

*

Ebrill, 1931

Dyma fore priodas Jane fach Jenkins ac Emlyn Walters, ac yn stafell fyw John a Lizzie uwchben y caffi mae merched Ffynnon Oer yn gyffro i gyd, yn clebran wrth ymbincio, trin eu gwalltiau a gwisgo'i gilydd yn eu dillad hardd.

Yng nghanol y prysurdeb, mae Marged Ann yn ddwfn yn ei meddyliau ei hunan, fel arfer. Mae hi'n bert yn ei gwisg o sidan pinc, a'i gwallt wedi'i blethu â rubanau, ac mae hi'n hymian *Here Comes the Bride* wrth gerdded yn ôl ac ymlaen â *bouquet* enfawr Jane o *arum lilies* yn ei breichiau. Mae ei thusw bach hi o rosys pinc ar y ford gyda'r *carnations* gwyn y bydd Emlyn a Goronwy, ei was priodas, a rhai o'r gwesteion eraill yn eu gwisgo fel *buttonholes*.

Goronwy sydd ar ei meddwl. Goronwy'r plismon golygus. Bu ar ei meddwl er neithiwr pan gyfarfu'r ddau am y tro cyntaf, yn y rihyrsal i'r seremoni, yng Nghapel Gladstone Road. Mae hi'n ei garu. Mae hi am ei briodi. Dyna'r drefn, fel y bydd pawb yn ei hatgoffa'n ddyddiol – bod y gwas yn priodi'r forwyn. Fe benderfynodd yn barod y byddan nhw'n priodi yng nghapel bach Brynarfor. Fe fydd hi'n gwisgo sidan gwyn, fel Jane, ac fe gaiff Martha, Jane a Lizzie fod yn *matrons of honour* iddi. Fe fyddan nhw'n cael pedwar o blant, dau grwt a dwy groten, ac fe fyddan nhw'n byw mewn tŷ bach neis yn Aberaeron.

Mae Martha'n edrych yn llawn tosturi ar ei chwaer fach, y groten fach sy'n chwech ar hugain oed, yr un ddychrynllyd o ddiniwed y bydd gofyn ei gwarchod weddill ei bywyd. Pwy fydd yn cymryd y cyfrifoldeb hwnnw? Pwy fydd yn ysgwyddo'r baich aruthrol ar ôl dyddiau ei rhieni, ei chwiorydd a'i brawd? Ei hunig frawd . . .

Colli Morgan oedd yr ergyd farwol. Colli ei hefaill a'i ffrind gorau, a cholli arni hi ei hunan. Marged, druan.

Mae Lizzie wrthi'n cau'r botymau ar wisg Jane, sy'n edrych mor hardd a gosgeiddig â thywysoges wrth syllu ar ei llun yn y drych mawr y mae Lizzie wedi'i osod ar ganol y llawr.

Mae'r sidan gwyn yn siffrwd yn synhwyrus, ac mae Jane yn gwenu'n ddirgel arni hi ei hun. Ac yna mae'r wên yn pylu'n sydyn, ac am eiliad mae llygaid Jane a Martha'n cwrdd yn y drych. A'r eiliad honno mae Martha'n gwybod i sicrwydd bod Jane yn feichiog.

*

Mewn ystafell wely foethus yn Plas House mae Robert ac Emlyn, ill dau yn smart yn eu siwtiau cynffonnog a'u bow-teis, yn sipian diferyn bach o frandi 'i leddfu'r nerfau'. Mae Robert yn barod am ei ail ddiferyn, ac Emlyn yn protestio bod gofyn bod yn gall rhag i'r Parchedig William Jones a'i saint synhwyro'r ddiod gadarn ar eu gwynt. Mae gan Robert ateb parod.

– Saint? Pa saint?

Gwena'n gynllwyngar wrth ddangos blwch bach pren â'i lond o bibrod iddo.

– Ac fel y deudodd y cyfaill Baden-Powell wrth ei sgowtiaid – '*Be prepared*'!

– Piti garw na faswn inna wedi gwrando ar ei gyngor ddeufis, dri yn ôl.

Wrth weld Emlyn yn dal ei wydr allan am fwy o frandi a thynnu'n ddwfn ar ei sigarét, caiff Robert ei atgoffa o garcharor yn ystod ei funudau olaf, yn cael cynnig ambell bleser bydol, os nad cnawdol, cyn cael ei ddienyddio. A waeth i Robert fod yn onest a chyfadde, er gwaetha'i actio glew, nad oes ganddo fawr o stumog at y pantomeim sydd o'i flaen. A fawr o gysur i'w gynnig i'w fab bedydd. Damia Jane am fynnu dweud wrtho am Ifan Bach! Ond gall Robert dynnu rhywfaint o gysur o'r ffaith na ddatgelodd hi'r cyfan i'w darpar ŵr. Datgelu'r cyfan? Mai tad bedydd ei darpar ŵr yw tad ei phlentyn anghyfreithlon? Dyna beth fyddai cawdel ar ben cawdel, chwedl teulu cymhleth Ffynnon Oer. Fe fyddan nhw yno'r prynhawn yma, yn blant, yn wyrion, yn fodrybedd ac ewythrod, yn gefndryd ac yn gyfnitherod drwy'r trwch. A'r plentyn siawns. O ie, heb anghofio'r plentyn siawns. A'r fatriarch, Esther, yn gorlywodraethu dros y cyfan. Ac yntau, Robert Roberts, yn fwgan, yn ddihiryn yn eu canol. Cafodd rhywfaint o faddeuant am ei 'drosedd' gan adain Llundain y teulu, Isaac ac Annie'n enwedig, ac mae John a Lizzie erbyn hyn yn weddol sifil. Ond mae bygythiad Daniel ddeng mlynedd yn ôl i ddatgelu popeth – Vera Thornton, Jane, Ifan Bach – yn ei boeni'n feunyddiol. Mae'r ffaith fod Daniel wedi callio tipyn erbyn hyn yn gysur, ond cnaf bach diegwyddor yw e o hyd. Oes modd ei drystio i gadw'i geg ynghau rhag peidio â datgelu'r 'deinameit', chwedl yntau? Beth bynnag am adain Llundain, simsan, a dweud y lleiaf, yw ei berthynas ag adain Aberaeron o hyd . . .

Mae Emlyn wrthi'n siarad . . .

– Wyddoch chi be, Yncl Robert? Dwi'n methu'n lân â choelio 'mod i'n priodi dynas sy'n feichiog am yr eildro! Mae ganddi fab fydd fath ag ysbryd o gwmpas y lle heddiw – ac am weddill ein bywyd priodasol ni!

– Twt, yn Ffynnon Oer mae Ifan Bach yn cael 'i fagu. Yn ddigon pell o Lundain.

– Mi fydd o ar feddwl Jane am byth. Mi fydd 'i dad o ar 'i meddwl hi.

– Mae hi wedi deud o'r dechra nad ydi o'n golygu dim iddi.

– Dwi'm yn credu hynny am eiliad. Mae hi'n dal i garu'r diawl. Dyna pam y mae hi'n gwrthod deud pwy ydi o.

– Dŵr dan y bont, Emlyn bach . . .

– O ia, gneud be ddaru o i Jane, ac yna'i gadael hi! A be ydw inna'n gorfod 'i neud? 'Y nyletswydd! Gneud dynas barchus ohoni, a hitha'n ddynas hael ei chymwynas ers cyn i mi 'i nabod hi!

– Mae priodi Jane yn fwy na dyletswydd i ti, gobeithio . . .

Weddill ei oes, ni fydd Robert yn anghofio'r olwg ar wyneb gwelw Emlyn wrth iddo boeri'r geiriau nesaf.

– Deudwch chi, Yncl Robert . . . Y cyfan ddeuda i ydi mai cachgi roddodd fabi i Jane. A taswn i 'mond yn cael gafael ar y sglyfath . . .

Goronwy a'i wên radlon sy'n torri ar ei ddicter.

– Fan hyn 'dach chi'n cuddio, y cnafon! A! Dwi'n gweld! 'Dach chi ar y brandis! Does ryfedd yn y byd eich bod chi'n cuddio! Ond be am ddiferyn bach i'r gwas?

*

Cuddio mae Ifan Bach hefyd. Cuddio rhag Edwin ac Alun, ei gefndryd bach addolgar a fu'n ei ddilyn fel dau gysgod ers iddo gyrraedd neithiwr. Bellach maen nhw'n rhedeg yn wyllt rownd a rownd y ddau dacsi a'r siarabáng, sy'n cael eu haddurno â thrwch o rubanau gwyn gan Dan a John. Peintio arwydd mawr '*JUST MARRIED*' y mae Isaac. Ac mae Ifan Bach yn cuddio yn yr hen feudy, sydd bellach yn ddim ond to sinc simsan uwchben pentwr o gabŵdl diwerth – dau hen gart yn prysur bydru'n bowdwr, dau neu dri harnais, eu rhannau metel wedi rhydu, eu darnau lledr wedi llwydo, stolion godro, pedyll, *churns*, bwcedi, a rhesaid o jygiau o wahanol faint ar sil y ffenest lychlyd.

Mae Ifan Bach yn gwylio'r sbort plentynnaidd ac yn wfftio gwichad dwl ei gefndryd. Mae ganddo awydd mynd i gynnig helpu gyda'r rubanau, neu i beintio'r arwydd gydag Wncwl Isaac. Ond mae arno ofn cael ei wrthod. Felly, cuddio amdani. Cuddio rhag rapscaliwns Llundain. Cuddio rhag dwy fenyw benderfynol – Esther a'i fodryb Annie – sy'n bygwth 'towlu'r tri chrwt bach i'r twba' unrhyw funud.

Ac fel cnul i'w glustiau, dyma lais awdurdodol Esther yn atseinio dros iard y Dairy:

– Ifan! Alun! Edwin! Dewch 'ma! Nawr!

Mae'r driniaeth ar fin dechrau.

*

Mae'r ddwy chwaer ar eu pennau'u hunain – Martha yn ei siwt a'i het fach dywyll, a Jane yn ysblennydd yn ei gwisg wen, ei *bouquet* yn ei llaw, a'r *veil* lês yn cuddio'i hwyneb. Ac yn cuddio'i llygaid. Ac yn ei gwarchod rhag y cyhuddiad sydd yn llygaid tywyll Martha.

– Pam na wedi di e, Martha? Pam na wedi di taw rhagrithio odw i? Ffrog wen, priodas fowr . . .

– Dy fusnes di yw e, 'na pam. Yn gwmws fel beth ddigwyddodd ddeng mlynedd 'nôl. Fe gethon ni orders i anghofio'r cwbwl. A 'na'n gwmws beth drion ni neud. Ond ma' hi'n anodd ambell waith, yn Ffynnon Oer, bob tro ma' Ifan Bach yn gweud 'Dat' a 'Mam' wrth bobol sy'n dat-cu ac yn fam-gu iddo fe. Ma' hi'n anodd nawr – a tithe'n cario babi arall . . . A phaid â gofyn shwt odw i'n gwbod . . .

Cwestiwn arall mae Jane yn ei ofyn wrth afael yn llaw ei chwaer.

– Martha, beth odw i'n mynd i neud? A beth weda i wrth Mam?

*

O'r diwedd, mae pawb yn weddol barod, ac Esther yn astudio dwylo, gyddfau, clustiau, esgidiau a gwalltiau'r tri chrwt bach am y tro olaf. Maen nhw'n smart iawn ill tri; Edwin ac Alun mewn *breeches* a chrysau o satin lliw hufen, ac Ifan Bach mewn trowsus hir a chot gynffonnog, dillad sy'n deilwng o'i swydd fel ystlyswr. O'r diwedd, fe brofa'r teimlad braf o fod yn ddyn, o fod uwchlaw'r plantos eraill yn eu dillad dwl, merchetaidd. Ond gwinga wrth gofio beth ddigwyddodd hanner awr yn ôl. Dyma un o brofiadau gwaethaf ei fywyd hyd yn hyn – un cynddrwg â busnes y gansen. Gorfod sefyll ei dro gyda'i gefnderwyr, ill tri yn eu pants a'u festiau, er mwyn i Esther ac Annie ymosod arnyn nhw'n ffyrnig gyda'r dŵr a'r sebon drewllyd a'r hen wlanen arw. A'r ddau fwnci bach yn ei wawdio. Ond fe ddaw dial. O daw, yn gynt nag y maen nhw'n ei gredu.

Erbyn hyn fe saif yn dalsyth, ben ac ysgwydd yn dalach na'r ddau arall. Er bod ei sgidiau newydd yn gwasgu a choler ei grys yn crafu'i war, nid yw'n mynd i achwyn dim. Ac wrth i Esther ei gofleidio a'i atgoffa o faint ei gyfrifoldeb, gan mai fe sy'n cynrychioli Ifan heddiw, mae Ifan Bach dan deimlad mawr. Fe gofia'r union eiriau ddywedodd Ifan wrtho echdoe, ym mharlwr Ffynnon Oer.

– Bydd di'n grwt bach da i dy fam . . . Edrych ar 'i hôl hi . . . A gwna dy waith yn anrhydeddus . . . Ti fydd yn 'y nghynrychioli i yn Llunden, wel'di . . .

A nawr, wrth i Esther sythu ei grafat am y tro olaf cyn mynd am y siarabáng, mae Ifan Bach yn gofyn y cwestiwn nad oes neb arall yn meiddio'i ofyn.

– Ody Dat yn mynd i wella?

Ac mae Esther yn ychwanegu celwydd arall at ei rhestr hirfaith.

– Gwella? Wrth gwrs 'i fod e, grwt!

Ac yna mae hi'n ei hysio gyda'r ddau arall allan i'r iard lle mae Dan a John, drwy gyfuniad o orchymyn, perswâd ac ambell wthiad, yn llenwi'r ddau dacsi a'r siarabáng. Gwêl Ifan Bach ei gyfle i ddial ar ei gefndryd am ei wawdio gynnau.

– Weles i *ferched* pertach na chi'ch dou!

Fe ddaw cyfle arall cyn diwedd y prynhawn, gobeithio. Ond yn y cyfamser rhaid gochel rhag Esther a'i thafod a'i hedrychiad llym. Mwy o orchmynion, mwy o berswâd a mwy o wthio, ac maen nhw ar eu ffordd, y cyrn yn canu, y rubanau'n hedfan a'r cymdogion yn gweiddi ac yn chwifio'u breichiau wrth eu hebrwng i lawr y stryd.

Ac ar ddrws y siop mae 'na arwydd yn dynodi '*SHOP CLOSED FOR FAMILY CELEBRATION*'.

*

Mae Rhys yn sychu'r diferion wy oddi ar ên Ifan Jenkins wrth i'r cloc mawr daro canol dydd.

– Ma'n nhw ar 'u ffordd 'te . . .

Fe wena'n wan ar Rhys, sy'n cynnig llwyaid fach arall o de iddo, ac un arall ac un arall. Does dim i'w glywed ond slyrpian Ifan a'r tician rhythmig. Ond yn sydyn mae Ifan yn bwldagu ac yn peswch nes bod te a phoer yn tasgu o'i geg a thros ei ddillad nos. Ac yna fe ddaw'r cyfog – hen hylif melyn yn llifo o'i geg ac yn diferu dros ddillad gwyn y gwely. Llwydda i fwmblian ei ymddiheuriad, a llwydda Rhys i'w argyhoeddi bod popeth yn iawn a bod dim angen poeni. Gŵyr Rhys y drefn yn iawn, a chyn pen pum munud mae dillad glân am Ifan ac ar y gwely, ac mae'r brynti a'r annibendod wedi'i glirio i gyd. Mae Ifan yn pwyso'i ben yn ôl, yn cau ei lygaid ac yn sibrwd:

– Ti'n fab-yng-nghyfreth da i fi, Rhys bach.

– Ac y'ch chithe wedi bod fel tad i finne.

– Ma'n ddrwg 'da fi dy rwystro di rhag mynd i Lunden. Goffod colli'r sbort, goffod bod yn nyrs-mêd i hen ŵr didoreth . . .

– Mr Jenkins bach, fydde'n gas 'da fi fod yn rhan o'r halibalŵ.

– A finne 'fyd . . . Y'n ni'n debyg iawn, on'd y'n ni, ti a fi?

– Odyn, falle . . .

Mae Ifan yn distewi, ac yn dechrau anadlu'n drwm. Ond â Rhys ar fynd o'r parlwr ar flaenau ei draed fe ddywed rhywbeth arall.

– Ma' hi'n dawel 'ma, heb Ifan Bach . . .

– A heb y menwod, Mr Jenkins!

– Ma'n nhw'u dwy'n debyg hefyd, Esther a Martha. Rhy debyg, falle. 'Na pam ma' hi mor anodd iddyn nhw fyw 'da'i gilydd fan hyn.

– 'Sdim lot o ddewis 'da nhw.

– 'Sdim lot o ddewis 'da dim un ohonon ni'r dyddie hyn, Rhys bach . . .

Ysbaid arall o dawelwch trwm . . .

– Shwt ma' fe'r un bach yn enjoio'i ddwyrnod, sgwn i? Meddwl amdano fe – yn *usher* bach pwysig!

Distawrwydd eto – ond fe ŵyr Rhys yn iawn fod mwy i ddod.

– Dyw e ddim yn hapus y dyddie hyn. Hen swch fach hir 'da fe. A ma' fe'n llefen shwt gymint, mor amal . . .

A'r cwestiwn mawr . . .

– Gwed wrtha i Rhys, beth yn gwmws o'dd achos y cweryl rhynto fe a'r boi Pen-parc?

– 'Sdim syniad 'da fi, Mr Jenkins.

– Paid â gweud celwydd wrtha i!

Ifan Jenkins, o bawb, yn codi ei lais. Mae'n rhaid bod rhywbeth mawr ar ei feddwl.

– Gormod o gelwydde sy yn y tŷ 'ma'n barod! A ma'n rhaid i fi ga'l gwbod! Wedyn ateb 'y nghwestiwn i! Ody fe wedi bod yn holi?

– Fydde'n well i chi ofyn i Martha . . .

– Jawl eriôd, Rhys! Wy'n gofyn i *ti*!

Does gan Rhys ddim dewis ond dweud y cyfan wrtho. Ac mae clywed y cyfan yn peri i Ifan Jenkins lefen ar dorri'i galon.

*

Y tu allan i Gapel Gladstone Road, fe gyrhaeddodd y foment fawr. Ar ôl deng mlynedd dymhestlog, mae Robert Roberts yn mynd i gwrdd â'i fab, ac fe deimla'r meddyg parchus yn nerfus ac yn ansicr. Grace, fel arfer, sy'n rhoi ysbrydoliaeth iddo, yn sibrwd bod ei fab yn 'grwt bach pert', cyn gafael yn ei fraich a'i arwain tuag ato. Ond mae hi'n haws gan Robert siarad â John na chyfarch Ifan Bach.

– Wel, John, a hwn ydi dy frawd bach di!

Mae John yn edrych arno'n oeraidd cyn troi ei gefn i gyfarch rhywun arall. Eiliad o siom, ond ar ôl pwniad ysgafn yn ei fraich gan Grace mae Robert yn estyn ei law i'w fab.

– Ifan Bach wyt ti, yntê? Dda gin i gyfarfod â ti. Ond Ifan Mawr wyt ti yn y dillad yna, decini!

Cyn i ddim mwy – na gwaeth – gael ei ddweud, mae John wedi gwthio Ifan Bach i gyfeiriad hen gyfnither i Esther a'i orchymyn i'w harwain i'w sêt drwy ddrws chwith y capel. Caiff bleser hefyd o atgoffa Robert a Grace mai ar ochor teulu Emlyn y dylen nhw eistedd. Ac â'r glatshen honno yn eu clustiau fe aiff y ddau esgymun i mewn i'r capel drwy'r drws sydd ar y dde.

*

Y tu ôl i ddrws caeëdig fflat y caffi, mae Isaac, heb dynnu'i drowsus streip, yn eistedd ar y *water closet* fel brenin ar ei orsedd, gan sipian yn sidêt o'i fflasg. Mae'r dasg aruthrol sydd o'i flaen yn codi arswyd arno, felly does dim amdani ond setlo'r nerfau â diferyn bach o *malt*. Ond aeth sip bach sydyn yn un arall, ac un arall, a nawr mae llais Jane yn gweiddi arno.

– Wncwl Isaac? Lle y'ch chi, Wncwl Isaac? Ma'r tacsi wedi cyrra'dd.

Damo'r tacsi, damo Ifan am fod yn rhy dost i gyflwyno'i ferch i'w gŵr mewn glân briodas. Ha! 'Na beth yw jôc!

– Wncwl Isaac!

Does dim i'w wneud ond stwffio'r fflasg i'w boced, tynnu'r tshaen a rhoi minten yn ei geg.

– Dod, Jane fach! 'Bach o nerfe wedi 'mwrw i, 'na'i gyd!

*

Mae *The Bridal March* yn atseinio rhwng pileri Capel Gladstone Road, a'r organ fawr yn datgan bod y briodferch wedi cyrraedd yn ei holl ogoniant. Wrth iddi lifo'n araf i lawr yr eil ar fraich simsan ei hewyrth Isaac, ei chwaer a'i neiaint bach y tu ôl iddi, mae ei harddwch fel petai'n pefrio o'i chwmpas. Ac mae'r gwahoddedigion wrth eu bodd. Gallwch weld y gymeradwyaeth yn eu llygaid, gallwch glywed eu sibrwd yn siffrwd drwy'r capel.

Ond petaen ni'n edrych yn fanylach ar ambell wyneb fe welen ni rywbeth gwahanol, rhywbeth mwy a llawer dyfnach. Anghysur, anniddigrwydd, gofid, hyd yn oed. Petaen ni'n nodi bod ambell un, heb enwi neb, yn ciledrych ar ei gilydd nawr ac yn y man yn ystod y gwasanaeth, fe ddeallem natur yr anghysur a'r anniddigrwydd, a'r gofid hefyd. Digon yw dweud bod ambell un yn ei chael hi'n anodd i fwynhau'r achlysur hapus o uno Jane Letitia Jenkins ac Emlyn John Walters mewn glân briodas. Mae ambell un yn gwingo wrth glywed geiriau'r Parchedig William Jones:

– Emlyn John Walters, a fynni di'r ferch hon yn wraig briod i ti, i fyw ynghyd yn ôl ordinhad Duw yn ystad sanctaidd priodas? A geri di hi, ei diddanu a'i pharchu, a'i chadw yn glaf ac yn iach, gan dy gadw dy hun yn unig iddi hi, tra fyddoch byw eich dau?

Mae Emlyn yn gwingo wrth ei glywed ei hunan yn ateb 'Gwnaf'.

Mae ambell un yn ei chael yn anodd i ganu geiriau Moelwyn:

'Ti, Ffynnon pob daioni,
  Gwraidd pob cysuron drud,
Rho fendith ar y ddeuddyn,
  A bydded gwyn eu byd . . .'

Ac mae ambell un yn ei chael yn amhosib i ddweud 'Amen'.

Drwy'r anghysur a'r anniddigrwydd a'r gofid, mae Ifan Bach Jenkins, diolch i'r drefn, yn saff yn ei ddiniweidrwydd ei hunan. Ac yng nghefn y capel, mae Daniel Jenkins yn gwenu'n ddrygionus wrth werthfawrogi eironi'r cyfan.

*

Fe gafodd Ifan Jenkins awr o gwsg, ac fe gafodd Rhys gyfle i gyflawni ychydig o'r gorchwylion mwyaf angenrheidiol o fewn tafliad llais i'r tŷ. Erbyn hyn, a'r cloc newydd daro un o'r gloch, mae Rhys newydd ei godi i'r *commode* a'i gario'n ôl i'r gwely, ac mae Ifan yn syllu'n bell drwy'r ffenest.

– Y rhagrith sy'n 'y mlino i, Rhys. Rhagrith a thwyll deng mlynedd. Hwnnw sy wedi'n neud i'n dost. Hwnnw sy jyst â'n lladd i . . . A heddi, y funud 'ma, ma'r rhagrith yn wa'th na fuodd e eriôd . . . Ma' meddwl am Jane yn priodi'n grand i gyd – yn 'i gwyn . . .

Pwl o beswch, a diferyn bach o ddŵr yn ddiweddarach, mae Ifan yn gafael yn llaw ei fab-yng-nghyfraith.

– 'Na pam wy isie i ti neud rhwbeth pwysig drosta i . . . Dou beth . . . Estyn y Beibl 'na i fi . . .

A'r Beibl yn ei gôl, mae Ifan yn agor y cloriau trwm i ddatgelu'r papurau a'r tystysgrifau sy rhwng y tudalennau brau. Llythyron, tystysgrifau geni a marwolaeth, hen filiau, polisïau insiwrans – ac amlen felen y mae Ifan yn ei hagor i ddatgelu dalen fawr ac arni'r geiriau *The Last Will and Testament of Ifan Morgan Jenkins.*

– Nawr cer di draw i'r pentre, i moyn Mr Williams y scwlmishtir.

– I beth? Sdim isie meddwl am ewyllysie a phethe diflas fel'ny . . .

Yn sydyn mae Ifan yn cael rhyw nerth o rywle, ac yn gafael yn Rhys gerfydd ei wasgod.

– Paid â dadle 'da fi, grwt! Ma'n rhaid i fi enwi Ifan Bach yn hon!

Ac yna syrthio'n ôl yn erbyn y gobennydd, ac anadlu'n drwm, a sibrwd yn glogyrnog:

– Ifan Bach . . . Ddim yn ca'l 'i enwi yn ewyllys 'i dad 'i hunan . . . 'Na ti beth od, ontefe? . . . 'Na ti gawdel . . . Ond dyw e ddim yn fab i fi . . . Ŵyr bach i fi yw e – 'run peth ag Alun ac Edwin yn Llunden . . . Ta beth geith Ifan Bach, fe ddyle'r ddou 'na ga'l yn gwmws yr un peth . . . 'Na pam benderfynes i ohirio . . .

– Peidwch becso am y peth, Mr Jenkins . . .

– Ond wyt ti ddim yn deall? Os na cheith e 'i enwi fel mab i fi, fydd e – a lot fowr o bobol erill – yn ffaelu deall pam! A 'na beth fydde'r cawdel rhyfedda 'rioed! Wedyn cer i moyn y scwlmishtir!

*

Yn neuadd foethus y Strand Palace, mae'r llongyfarchiadau a'r dymuniadau da, y cofleidio, y cusanu a'r ysgwyd llaw yn eu hanterth, a'r hyn na chaiff ei ddweud neu'r hyn a gaiff ei led-ddweud yr un mor ddiddorol â'r perlau geiriol sy'n gwibio rhwng y gwesteion.

Het dros-ben-llestri Grace yw un o'r pethau sy'n codi gwrychyn Esther. Mae hi hefyd yn anhapus ynglŷn ag anrheg dros-ben-llestri Grace a Robert i'r pâr hapus, sef set gyfan o Royal Doulton China. Mae Annie'n amddiffyn ei chwaer ar unwaith gan atgoffa Esther, fel y gwnaeth sawl gwaith yn ystod y blynyddoedd diwethaf, nad oedd gan Grace ei chwaer 'ddim byd i neud â'r busnes 'na 'da Jane'.

Cwestiwn Lady Orme sy'n gwneud i Jane a Lizzie wingo:

– *Jane, darling, you look gorgeous.* Hyfryd iawn. *But how on earth have you squeezed into that delightful frock?*

Tro Grace yw hi wedyn i deimlo fflangell ei thafod.

– *Grace, dear*, yr het yna! *It's very nice! Only trouble is, you're putting the bride's mother in the shade!*

Mae Dan yn wfftio'r awgrym a ddaw o sawl cyfeiriad ei bod yn amser iddo yntau ddod o hyd i wraig.

– Twt. Ma' digonedd o fenywod 'da fi ymbytu'r lle, a'r rheiny'n rhoi popeth i fi allith gwraig 'i roi.

Ateb dan-ei-wynt ei dad sy'n ddiddorol.

– Ti'n lwcus, Daniel bach . . .

Ac yna i ffwrdd ag e fel llysywen i'r tŷ-bach, gan orglywed Annie'n ymddiheuro wrth Esther na allai hi ac Isaac fforddio gwell anrheg na set o *pastry forks EPNS*.

Ac yn y cyfamser, 'Pwy sy'n talu am y sioe fowr, ddrud 'ma?' yw cwestiwn y llyffant Pritchard.

*

– Pwy sy 'da ni fan hyn te?

Mae Defi Oernant yn troi ei lygaid mawr at Luther. Blinodd ar eistedd ar ei ben ei hunan bach ar glos Ffynnon Oer, yn naddu darn o bren nad yw'n ddim tebycach i bicell y Rhufeiniaid nag ydoedd awr yn ôl.

– Chi'n gwbod pwy odw i, Luther!

– Nagw i! Weles i mohonot ti eriôd o'r bla'n!

– Chi'n tynnu 'nghoes i!

– Dim o gwbwl! Ond weda i 'thot ti, 'y nghof i sy'n dechre pallu. Ma' fe'n digwydd i hen bobol ddidoreth fel fi. Nawrte, gwed pwy wyt ti.

– Defidjonesoernant yw'n enw i.

– A beth wyt ti'n neud fan hyn ar dy ben dy hunan bach, Defidjonesoernant?

– Sdim ffrind 'da fi heddi.

– A phwy yw dy ffrind di?

– Ifanjenkinsffynnonoer. Fe yw'n ffrind gore i.

– A ble ma' fe heddi?

– Wedi mynd i briodi yn Padintonllynden. Y'ch chi'n gwbod hyn i gyd, Luther!

Mae Luther yn ymdrechu i beidio â chwerthin.

– Wrth gwrs, heddi yw'r dwyrnod mowr! Jane fach Jenkins yn mynd yn Mrs rhwbeth-ne'i-gilydd.

– Mrs Emlyn Walters.

Rhys sy'n rhoi'r wybodaeth iddo, wrth fynd heibio â whilbered o dom i'r domen.

– Mrs Emlyn Walters . . . Neis iawn wir . . . Beth wy'n siarad? Druan fach â hi . . .

– Pam y'ch chi'n gweud hynny, Luther?

– Colli'i rhyddid ma'r groten, ontefe? 'Na fe, 'na beth yw priodas. Jâl!

*

– Let's be 'avin' you!

Mae gorchmynion Mr Phipps of Finchley, *Photographer of Distinction*, yn ddiddiwedd.

– Bride an' groom! Bride an' bridesmaid! Bride, bridesmaid an' pageboys! Bride's family! Groom's family! All together now, say 'cheese' an' count to ten!

Fe fanylwn ni ar ddau lun pwysig. Yr un o'r *bride wiv 'er bruvvers an' sisters*, ac Ifan Bach – *come on, little man, stand beside your sister!* – fel brenin yn y blaen.

Ond yr un anffurfiol, sydyn a dynnodd Mr Phipps pan oedd wrthi'n pacio'i bethau, yw'r un pwysig. Pawb ond Jane ac Ifan Bach wedi mynd i mewn i eistedd wrth y bordydd, a hithau newydd ddweud wrtho am fihafio ac y bydd yn cadw llygad arno. Ac yna mae hi'n ei gofleidio'n dynn.

Clic!

Mae Mr Phipps of Finchley wedi eu dal.

– *Best photo I've taken today, duckies!*

Chwerthin a wna Ifan Bach a rhedeg heibio iddo – a heibio i Emlyn, sy'n sefyll wrth y drws yn barod i arwain ei wraig i mewn i'r stafell fwyta. Dyna'r drefn – y pâr priod yn cyd-gerdded yn urddasol rhwng y byrddau a'r gwahoddedigion yn eu croesawu. Dyna pam y mae'n aros amdani'n amyneddgar. Dyna pam y gwelodd hi'n cofleidio Ifan Bach. Dyna pam y mae golwg artaith ar ei wyneb pan ddaw Jane ato'n wên i gyd.

– *Ladies and Gentlemen, pray be upstanding for the bride and groom . . .*

A dyna pam y gwasga'i llaw yn dynn wrth ei harwain rhwng y gwesteion – mor dynn nes bod ei ewinedd yn torri ei chroen.

*

– *This is the first Codicil to the herein last Will and Testament written by me, Ifan Morgan Jenkins, of Ffynnon Oer, Brynarfor, Aberayron in the County of Cardiganshire, dated the eleventh of February, nineteen hundred and eleven. One, that I bequeath the sum of fifty pounds to my son, Ifan Enoc Jenkins, of Ffynnon Oer in the County aforesaid, and Two, that I otherwise confirm my aforesaid last Will and Testament.* Reit 'te, Mr Jenkins, y cwbwl sy 'da chi i neud nawr yw 'i seino fe o fla'n dou dyst. Fe alla i fod yn un . . .

– A Rhys y llall?

– Na. Rhywun annibynnol. Doctor Richards, falle, ne' Mr Davies, Chelmsford Villa.

– Beth am Luther?

Wrth glywed ei enw, fe gwyd Luther ei wyneb o'r basined cawl y mae wrthi'n ei ddrachtio, ac fe glyw Williams y scwlmishtir yn sibrwd wrth Ifan Jenkins:

– Na! Rhywun parchus!

– Twt! Sneb mwy parchus na 'Pharchedig'! Luther! Dere 'ma! Dere i seino hwn i fi.

Gwên a nòd wybodus, ac mae Luther yn eistedd ar y gwely, ac yn arwyddo'i enw'n ofalus. Ac yna cwyd ei lygaid a syllu'n ddrygionus ar yr ysgolfeistr.

– Mister Williams, y'ch chi wedi rhoi C.M. wrth 'ych enw chi. *Certified Master* . . .

– Ie?

– Wel, ddylen i roi B.A., B.D.? A phwy gyfeiriad licech chi i fi 'i roi? Sgubor Pantrod, lle gysges i neithwr? Ne' sgubor Ffynnon Oer, lle y bydda i heno, os yw Mr Jenkins 'ma'n folon?

Gwenu a wna Ifan Jenkins, er gwaetha'i wendid. Gwgu a wna Byron Williams, C.M., prifathro hunanbwysig ysgol fach Brynarfor.

– Os ca i'ch atgoffa chi, Luther, mor bwysig yw cadw'r gyfrinach 'ma.

– Ga i'ch atgoffa chithe, Mister Williams, 'mod i wedi rhoi 'y ngair, a hynny i hen ffrind. So hynny'n ddigon i chi?

Ifan sy'n ateb ei gwestiwn.

– Ma' hynny'n hen ddigon i *fi*, Luther.

– Gẁd! 'Na'n ni'n tri'n deall 'yn gilydd 'te.

*

Mae'r cwrs cyntaf bron â dod i ben, ac Ifan Bach yn peri i Alun ac Edwin chwerthin yn afreolus â'i ddynwarediad o'r Parchedig William Jones yn slyrpian ei gawl, yn colli diferion dros ei grys ac yn sychu'i geg yn ddelicét â'i *serviette* cyn rhoi llaw fodlon ar ei fol a thorri gwynt yn swnllyd. Mae llygaid Lizzie'n fflachio'n fygythiol arnyn nhw, ac mae'r ddau'n tawelu ac yn llonyddu'n sydyn. Mae llygaid Jane wedi'u hoelio ar y plât o'i blaen. Rhwng y cyfog gwag sy'n ei llethu, a distawrwydd llethol Emlyn wrth ei hochr, mae'r dagrau'n dechrau cronni. Ond mae llygaid Marged Ann yn disgleirio fel y sêr uwchben Clogfryn wrth edrych ar Goronwy, sy nawr yn codi ar ei draed ac yn taro'i lwy yn erbyn ei wydr.

– Foneddigion a Boneddigesa . . . Os ca i'ch sylw chi os gwelwch yn dda . . . Dwi am ddarllan rhai o'r teligrams a'r cardia . . .

Hanner dwsin o gardiau a theligramau'n ddiweddarach fe

ddaw at gyfarchiad sy'n dymuno'r gorau 'I Jane fach Jenkins ar ddydd ei phriodas â phwy bynnag yw'r diawl bach lwcus sy'n 'i chael yn wraig'.

– Ac arhoswch chi, mae 'ma benillion hefyd. Rhai da iawn, os ca i ddeud . . .

' Wel, Jane fach Jenkins, wele bennill
  Ar ddiwrnod hapus ym mis Ebrill;
Mis i'r blodau ddod o'r ddaear,
  Mis i glywed cân yr adar.

Ac er i'r Gaeaf ddod â'i stormydd
  I beryglu aelwyd ddedwydd,
Rwy'n siŵr y byddi di ac Emlyn
  Heb unrhyw risg yn eu goresgyn!'

Llwydda'r cyfarchiad a'r penillion wneud i dros gant o bobol chwerthin a chymeradwyo. Ond fe lwyddan nhw i wneud i ddau ddyn – Emlyn Walters a Robert Roberts – wingo'n anniddig yn eu seddau. Ac mae Jane fach Jenkins yn dal i syllu ar ei phlât . . .

*

– 'Heb unrhyw risg yn eu goresgyn'. Bachgen, bachgen, Ifan Jenkins, 'na beth *yw* llinell! Twtsh o gynghanedd a chwbwl! A gan 'y mod i'n 'y nghanmol 'yn hunan i'r cymyle, man a man i ti glywed cwpwl o linelle erill sgrifennes i'n ddiweddar.

Mae Luther yn plethu'i ddwylo ar ei frest ac yn dechrau adrodd.

– 'Ar lan afon Aeron ni welir
    Hen niwloedd y Ddinas Fawr
  Sy'n dod â dagrau i'n llygaid
    A'n gwneud yn ddeillion bob awr . . .'

Gweld y dagrau yn llygaid Ifan Jenkins sy'n gwneud i Luther dawelu'n sydyn.

– Cer mla'n, 'achan, cer mla'n . . .

– Na, sa i'n cofio rhagor . . .

*

A sôn am golli deigryn, mae Isaac Jenkins yn nhoiled newydd, crand y Strand. Ond dyw e ddim yn pisho yn y gwter wen, gyhoeddus. Eistedd a wna ar glawr *water closet* mewn ciwbicl sydd â'i ddrws ynghlo. Mae'r fflasg yn achubiaeth iddo unwaith eto, ac fe yf ohoni'n ddiolchgar cyn pecial yn ddwfn. Ond cyn ei rhoi'n ôl yn ei boced fe rewa'n stond pan glyw leisiau'r tri chrwt bach, Ifan, Alun ac Edwin, a sŵn eu pisho chwyrn.

Fe gafodd Ifan Bach orchymyn gan Lizzie i fynd â'i gefndryd bach i bisho. Saif y cefnder mawr yn wyliadwrus rhyngddyn nhw, ac mae'r tri'n anelu'n syth i'r gwter wen o'u blaenau. Ond yn sydyn ac heb esboniad, mae ei fraich chwith yn taro yn erbyn braich dde Edwin, a'i fraich dde yn taro braich chwith Alun, nes bod pi-pi'n tasgu ar letraws dros y llawr a thros y trowsusau satin. Mae dau bâr o lygaid mawr yn syllu arno'n llawn ofnadwyaeth. Mae yntau'n gwenu'n nawddoglyd arnyn nhw.

– Damo, damo! Y'ch chi wedi'i neud hi nawr, bois bach! Fydd Anti Lizzie'n grac! Heb sôn am Wncwl John! Fydd e mor grac â tharw Pantrod! Chi'n cofio hwnnw? Mwww! Mwww!

Mae Isaac yn eu clywed yn rhedeg o'r toiledau. Mae ganddo amser i gymryd un ddracht hir arall, ac yna mae'n cau'r fflasg, yn ei stwffio i'w boced, yn rhoi minten yn ei geg ac yn camu allan o'r ciwbicl i'r toiledau gwag. Rhaid cael cip yn y drych i wneud yn siŵr bod pob botwm wedi'i gau a phob blewyn yn ei le, gan y bydd yn annerch o'r *top table* chwap. A dyma gyfle da i ymarfer tipyn ar ei araith. Sylla ar ei lun a'i weld ei hun yn ddyn bach corffog, llwydaidd mewn dillad benthyg sy braidd yn dynn – ei dagell yn hongian dros goler ei grys, ei fola dros ei drowsus. Ond 'corffog' yw'r gair i'w ddisgrifio'i hunan, nid tew, na boliog, na llond ei groen. Tynna'i araith o boced frest ei siaced a chlirio'i lwnc.

– Barchus deuluoedd, ac annwyl gyfeillion. Pleser o'r mwyaf yw cael cynrychioli'r teulu yma heddiw, yn absenoldeb fy mrawd Ifan, tad Jane, ar yr achlysur hapus o uno'r ddeuddyn hyn . . .

Yn sydyn, beth wêl yn hofran y tu cefn iddo yn y drych ond gwên ddanheddog, nawddoglyd y llyffant Pritchard.

– Da iawn ti, Isaac! Fe fyddi di'n gredit i ni i gyd! Gyda llaw, o'dd deryn bach yn gweud bo' pethe'n dawel iawn sha'r Dairy'r dyddie hyn. Os byddi di isie 'bach o help ariannol – cofia ofyn. Fe fydda i'n falch ca'l helpu . . .

Fflach arall o'r dannedd ac aiff i bisho'n hamddenol i ben draw'r gwter grand.

*

Mae Annie'n llygadu cadair wag ei gŵr. Chwarter awr o bishad! Na, mae ganddo reswm arall dros fod yno cyhyd, ac fe ŵyr yn iawn beth yw.

Fe ddychwelodd y bechgyn bach ymhen dwy funud – a'r ddau fach yn gorfod dioddef llid eu mam am bisho ar draws eu trowsusau. Gŵyr John yn iawn bod Ifan Bach wrth wraidd y gyflafan a phenderfyna holi beth ddigwyddodd. Daw'r ateb o grombil y treiffl mae ei nai'n ei lyncu fel petai dim fory i'w gael.

– Fe bishon nhw'n gam, 'na'i gyd.

Ond mae ei ewyrth un cam o'i flaen.

– *A* cha'l bai ar gam. Ontefe?

Yn ffodus i Ifan Bach, mae Goronwy'n tincial ei wydr unwaith eto. Mae'r areithiau ffurfiol ar fin cychwyn. Ac er mawr ryddhad i Annie, mae Isaac Jenkins yn ymddangos ac yn cripian yn ymddiheurol at ei sedd.

Awr o areithio, ac awr o artaith i ambell un. Nid i Marged Ann, sy'n profi un o wefrau mawr ei bywyd pan ddywed Goronwy ar goedd ei bod hi'n harddach na'r briodferch! A phan gwyd ei wydr a chynnig llwncdestun iddi, a phan gwyd cant o bobol eu gwydrau iddi a dweud ei henw'n un corws clir, mae ei chwpan bach hi'n gorlifo.

Mae'r artaith yn ymwneud â gorfod gwrando ar wirioneddau a chelwyddau, a gorfod brwydro yn erbyn emosiynau lu. Goronwy'n llongyfarch Jane ar 'wneud dyn gonast o'r hen Emlyn'; Emlyn yn diolch i Grace a Robert am fod fel mam a thad iddo; Isaac yn dweud bod eu meddyliau yn Ffynnon Oer, gydag Ifan, tad Jane, nad yw'n ddigon da i rannu'r diwrnod hapus gyda nhw heddiw; a Robert yn canu clodydd teulu Ffynnon Oer.

– Er mai cynrychioli teulu Emlyn ydw i heddiw, mae gen i gysylltiada agos iawn â theulu Jane. A deud y gwir, mi fydd teulu Ffynnon Oer, am fwy nag un rheswm, yn bwysig iawn i mi weddill fy mywyd.

A Robert yn gwenu ar Jane cyn taflu golwg at Ifan Bach sy'n brysur yn llunio cwch o *serviette*; a Jane ac Esther a Grace a rhyw hanner dwsin o bobol eraill yn dyheu am i'r artaith orffen.

*

A gorffen a wna o'r diwedd. Wel, i rai. Mae gwaeth artaith yn wynebu ambell un wrth y bar. Isaac Jenkins, sy'n gorfod sipian sudd oren yng nghwmni dynion sy'n drachtio brandis a *rum*; Robert Roberts, sy'n gorglywed Enoc yn ei alw'n 'rhacsyn diegwyddor' yn ei gefn; a'r hen Isaac Cohen, sy'n synhwyro dicter gwrth-Iddewig Pritchard er nad yw'n deall ystyr y geiriau sy'n cael eu poeri o'i geg.

– Hen gadnoid bach mên y'n nhw i gyd.

Yn y *lounge* mae 'na fenywod mewn hetiau crand yn sipian te gan giledrych yn ddirgel ar ei gilydd.

Ac yn un o'r ystafelloedd gwely mae Jane ac Emlyn yn sefyll gefn yng nghefn, un bob ochor i'r gwely. Maen nhw'n dadwisgo'n araf, yn tynnu haenen ar ôl haenen o'u dillad hardd. Caiff Jane drafferth i agor y botymau ar gefn ei gwisg, a daw ei gŵr ati i roi help llaw. Gall deimlo'i fysedd yn agor y botymau fesul un, ei gyffyrddiad yn ysgafn a chlinigol – cyn troi a mynd yn ôl i'w briod le yr ochor draw i'r gwely. Mae Jane yn hongian y wisg yn ofalus ac yn sefyll yn ei phais gan syllu ar ei gŵr sydd wrthi'n gwisgo trowsus ei siwt. Mae hithau'n estyn am y siwt y bydd yn ei gwisgo i fynd i Brighton.

Y cyfan hyn heb dorri gair â'i gilydd.

Gallech dyngu mai Daniel Jenkins yw'r unig un sy'n cael modd i fyw. Diflannodd yn ddisymwth yng nghwmni Lucy, un o'r *chambermaids*.

*

Daeth yn amser i ffarwelio â'r pâr hapus sy'n rhedeg at gar Emlyn drwy gawodydd o gonffeti a dymuniadau da. Fe ffarweliodd Jane â'i mam eisoes, gan sibrwd 'Diolch am bopeth' yn ei chlust cyn troi'n sydyn oddi wrthi a cheisio rheoli'r dagrau. Nawr mae hi'n cofleidio Martha, yna Marged Ann, ac yna John a Lizzie. Ac yna Ifan Bach, sy'n stwffio dyrnaid o gonffeti i lawr ei gwar.

Ac â 'Lwc dda!' yn atseinio yn eu clustiau, maen nhw'n gyrru i ffwrdd. Y Parchedig William Jones yw'r cyntaf o blith y dyrfa fach i dorri ar y distawrwydd a adawyd ar eu hôl.

– Lle da 'di Brighton i fwrw swildod, medden nhw . . .

Gwên wybodus yw ymateb Daniel Jenkins cyn iddo fynd yn ôl i gyntedd y gwesty ac i ganol ymosodiad Enoc ar Robert Roberts.

– Chi'n credu bo' chi'n saff, on'd y'ch chi? Y gallwch chi anghofio beth neloch chi! Wel, fe wna i'n siŵr na fydd neb arall yn anghofio!

Does dim dewis gan Robert a Grace ond gadael y cwmni llawen, a hynny â chymaint o urddas â phosib. Ond mae'n rhaid iddyn nhw fynd heibio i Dan, sy'n crechwenu ar ei ewyrth.

– Wel, wel! Am beth allith Wncwl Enoc fod yn sôn, Wncwl Robert?

A dyw cyfarfod â'r Parchedig William Jones wrth ddrws y gwesty ddim yn help, ac yntau'n honni mai het Grace oedd un o uchafbwyntiau'r holl achlysur dedwydd.

Yn y cyfamser mae Dan yn dyst i ddadl boeth rhwng ei rieni ynglŷn â fflasg fach wydr y daeth Annie o hyd iddi ym mhoced Isaac. Mae hunanamddiffyniad Isaac yn ffyrnig o gyhoeddus.

– Ti'n iawn! Fues i'n yfed! Drw'r prynhawn! Pob cyfle posib! A fe yfa i fwy 'to, fenyw. Achos ma' meddwi'n dipyn o help i fi fyw 'da ti!

Beth sydd ar ôl i'w ddweud? Mae Dan yn dweud y cyfan.

– 'Ma beth *yw* priodas hapus!

*

Yn hwyr y noson honno ym mharlwr Ffynnon Oer mae Rhys yn gwneud yn siŵr bod Ifan Jenkins yn gysurus yn ei wely, cyn iddo ddringo'n flinedig i fyny'r staer; yn y sgubor mae Luther Lewis yn poeri ar ei bensil ac yn chwilio am yr Awen.

Yn Acton Street mae Isaac Cohen yn syllu unwaith eto ar bosteri sy'n ei annog ef a'i lwyth i fynd adref, ac yn sibrwd yn ddagreuol, '*Why can't you understand and let me be? This* is *my home.*'

Uwchben siop y Dairy mae Annie Jenkins yn gorwedd yn ei gwely'n gwrando ar ei gŵr meddw'n rhochian chwyrnu; y drws nesaf iddi mae Ifan Bach yn gorwedd ar wely rebel ar y llawr yn syllu ar y nenfwd.

Yn Plas House mae Robert Roberts yn eistedd yn ei stydi yn chwythu cylchoedd mwg o'i sigâr bob yn ail â sipian ei frandi.

Ac yng ngwesty'r Brighton Imperial mae'r ddau a fwrodd eu swildod cyn priodi yn gorwedd gefn yng nghefn. A'r cloc yn taro hanner nos mae Jane yn gofyn cwestiwn y gŵyr ei ateb eisoes.

– Beth yn gwmws sy'n dy fecso di, Emlyn?

– Heddiw sy'n fy 'mecso' i, Jane. Heddiw, fory – a gweddill fy mywyd i . . .

*

MEHEFIN, 1931

CYNHELIR
EISTEDDFOD GADEIRIOL
CAPEL BRYNARFOR
YN Y LLE UCHOD
MEHEFIN 21, 1931
LLYWYDD ANRHYDEDDUS: ISAAC JENKINS, YSW.
LLUNDAIN
(FFYNNON OER, GYNT)
I DDECHRAU YN BRYDLON AM 3 O'R GLOCH
MYNEDIAD I MEWN: OEDOLION 6d PLANT 3d
YR ELW AT YR ACHOS YN Y LLE
DARPERIR YMBORTH GAN Y CHWIORYDD

CROESO I BAWB

RHAGLEN A THESTUNAU AR GAEL GAN YR YSGRIFENNYDD
BYRON WILLIAMS, C.M., YSW., SCHOOL HOUSE, BRYNARFOR

Mae Luther yn astudio'r poster wrth ddrws y capel gan gribo'i fysedd yn ddyfal drwy ei farf. Ac yna fe dry ei lygaid draw tuag y fynwent, lle mae Marged Ann yn penlinio wrth fedd mawr marmor teulu Ffynnon Oer. Aiff draw ati a'i gwylio'n gosod trwch o flodau gwyllt yn y ffiol ddu ac arni'r geiriau ' Hedd, Perffaith Hedd'.

Bedd teulu Ffynnon Oer, a'i biler coch yn ymestyn fel bys cyhuddgar i'r awyr, a'r ysgrifen aur yn cofnodi marwolaethau tair cenhedlaeth. A'r diweddaraf un yw Morgan Jenkins, a fu farw ym mis Chwefror 1921, yn un ar bymtheg oed.

– Ma'n pen blwydd ni mewn tair wthnos, Luther.

– Jawl eriôd, ti'n iawn! Odw i'n ca'l dod i'r parti?

– Fydd dim parti. Dim ond plant sy fod ca'l parti pen blwydd, medde Mam.

– Pam na alli di a fi ga'l parti? Esgus taw plant y'n ni. Fydde hynny'n sbort. A fe fydd hi gered 'ma, ta beth, â'r Steddfod yn y capel.

– Ma' Ifan Bach yn cystadlu ar bopeth allith e.

– Whare teg i'r crwt.

– Pam na newch *chi* gystadlu ar rwbeth, Luther? Ma' pawb yn gweud y dylech chi.

– Pawb?

– Dat a Mam, Martha, Wncwl Enoc – pawb. Ond ma'n nhw'n gweud na newch chi byth.

– Odyn nhw nawr? Pam, sgwn i?

– Am bo' chi'n . . . Na, sdim ots.

– Wy'n gwbod pam. Am bo' fi'n hen bwdryn sy'n yfed gormod. Am nad odw i'n galler gweld ymhellach na gwaelod potel, a honno'n botel wag. 'Na beth ma'n nhw'n weud, ontefe?

Fe ddysgwyd Marged Ann i ddweud y gwir bob amser.

– Ie . . . Ond dy'n nhw ddim yn gweud y gwir. Dy'ch chi byth yn yfed pan fydda i 'da chi. Wedyn fe ofynna i chi 'to. Newch chi gystadlu yn y steddfod?

Eiliad o ystyried, a'r bysedd yn cribo drwy'r farf.

– Sdim dal, wel'di, Marged fach . . . Sdim dal . . . Jawl, ma'r blode 'na'n bert 'da ti.

*

– 'Ddoi di, Dei, i blith y blodau?
Ddoi di, Dei?'

– Wel, neith hynna mo'r tro o gwbwl! Beth sy'n bod arnat ti, grwt? Nawr gwranda di ar dy fam! Sefyll lan yn iawn, dy ddwy droed ar y llawr. A phaid ag edrych drw'r ffenest! Nawrte, dechre 'to!

– 'Ddoi di, Dei, i blith y blodau?
Ddoi di, Dei?
Dyma flodyn bach yn wylo;
Rhywun hwyrach wedi'i frifo,
Dagrau mawr sydd ar ei rudd o,
Wel 'di, Dei?'

– 'Na welliant! Os wedi di fe fel'na, fe fyddi di'n gredit i ni i gyd!

*

Mae gan Isaac Jenkins broblem fawr. Mae ganddo nifer o broblemau, bach a mawr, ond yr un ddiweddaraf a'r un fwyaf ar hyn o bryd yw sut yn y byd y gall ddod o hyd i ddegpunt i'w cyflwyno i goffrau Eisteddfod Capel Brynarfor. Degpunt yw'r isafswm posib. Oni osodwyd y safon gan Robert Roberts y llynedd, pan oedd yntau'n Llywydd Anrhydeddus, ac yntau'n ddim ond perthynas yng nghyfraith! Ac fel y bydd Annie'n ei atgoffa'n ddyddiol, mae Isaac yn *deulu*, wedi'i eni yn yr ardal a'i fagu yn y capel. Byddai cyfrannu llai na degpunt yn anfaddeuol, yn sarhad ar y capel ac ar deulu Ffynnon Oer.

Ond mae degpunt yn arian mawr i rai sy'n clywed y blaidd yn crafu wrth y drws. Ac i roi halen ar y briw mae Annie'n hoff o atgoffa'i gŵr bod 'pethe siŵr o fod yn well yn Ffynnon Oer, a'r *accounts* yn iachach na rhai'r Dairy'. Ar ambell awr dywyllach na'r cyffredin tywyll, mae hi'n dannod pethau gwaeth. Onid yw hi'n drueni mawr ei fod wedi cefnu ar ei enedigaeth-fraint? Pam na fyddai wedi mynnu sicrhau ei gyfran teg o'r gwaddol adeg marwolaeth ei dad? Pam na fynnodd fargen well? A pham na ddylid atgoffa Ifan Jenkins mai fe gafodd y fargen orau, o bell ffordd?

Ac Isaac, er gwaetha'i ddiflastod a'i anobaith mawr, yn gorfod ei hatgoffa bod ei frawd yn ddyn gwael iawn, yn un a'i wely yn y parlwr, a bod hynny'n dweud y cyfan.

Ac Annie'n ei atgoffa mai ar adegau anodd y mae dyn yn dod i nabod y natur ddynol. Ar adegau anodd mae pobol yn cael eu temtio i wneud 'hen bethe slei', i fynnu mwy na'u siâr, i newid ewyllysiau. Mae pobol yn gallu bod yn hafing iawn, yn enwedig pobol y mae twyll yn ail natur iddyn nhw, pobol a dwyllodd cymdogaeth gyfan ers dros ddeng mlynedd.

*

Mae Jane yn cuddio'r *photograph* o dan ei gobennydd ac yn gwenu ar Emlyn, sy'n dod i eistedd ar erchwyn y gwely.

– Sut wyt ti erbyn hyn?

– Lot gwell.

Distawrwydd. Does fawr o *bedside manner* gan y meddyg heno. Mae Jane yn estyn y *photographs* iddo heb ddweud gair ac mae yntau'n edrych drwyddyn nhw'n ddidaro. Ac yna fe benderfyna edrych drwyddyn nhw eto, yn fwy trylwyr y tro hwn. Ac yna fe gwyd ei lygaid ac edrych i fyw llygaid ei wraig.

– Mae 'na un ar goll.

– Beth?

– Un *photograph.* Ti'n 'i guddio fo, on'd wyt? Lle mae o, Jane?

Mae ei lais yn fygythiol a'i fysedd yn gwasgu i mewn i'w braich.

– Paid, Emlyn, ti'n neud dolur i fi.

– Wyt ti'n mynd i roi'r *photograph* yna i mi?

Mae hi'n amneidio ac mae yntau'n rhyddhau ei afael ar ei braich. Yn ara bach, mae hi'n estyn am y *photograph* o dan y gobennydd ac yn ei roi iddo. Sylla yntau arno'n oeraidd cyn codi ei lygaid eto a syllu arni.

– 'Dolur' ddeudist ti? *Fi*'n achosi dolur i *ti*? Oes gin ti syniad sut ydw i'n teimlo pan dwi'n sbio ar hwn?

Cwyd ar ei draed yn sydyn a stwffio'r *photograph* i'w boced cyn martsio allan drwy'r drws. Mae Jane yn pwyso'n ôl yn erbyn y gobennydd ac yn cau ei llygaid. Ond ar ôl tipyn mae hi'n eu hagor ac yn edrych unwaith eto ar y *photographs* sy'n cofnodi diwrnod hapusaf ei bywyd. Felly pam ei bod hi'n edrych mor affwysol o drist ym mhob un? Neu ai dychmygu y mae hi? Mae hi'n gwenu ym mhob llun, gwên fach barod, arwynebol. Ond doedd neb yn gwybod hynny. Doedd neb yn amau dim. Dyma lun o Jane fach Jenkins gyda'i gŵr, un galluog, cefnog a golygus, un y mae ganddo feddwl y byd o'i wraig fach newydd. Edrychwch arnyn nhw'n gwenu ar ei gilydd. Edrychwch ar y cariad yn eu llygaid. A dyma luniau lu o Jane fach Jenkins yng nghanol ei thylwyth a'i chydnabod. Pawb yn hapus am ei bod hi'n hapus. Pawb yn dymuno'r gorau iddi. Iddyn nhw ill dau.

Does dim llun ohoni hi'n cofleidio Ifan Bach. Mae hwnnw ym mhoced Emlyn.

*

Arian sydd wrth wraidd pob drygioni, meddai'r hen ddywediad, a gall Isaac Jenkins ddeall hynny'n iawn. Byddai'n fodlon torri sawl cyfraith er mwyn cael gafael ar ddegpunt. Byddai peryglu'i enw da yn haws na gorfod ymgreinio i'w fab ei hunan, fel y gwnaeth fwy nag unwaith yn ddiweddar. Dan, o bawb, yn rhoi benthyg arian iddo. Y mab afradlon yn cynnig gwaredigaeth dros dro i'w dad, a'i winc gynllwyngar yn selio'r ddealltwriaeth rhyngddyn nhw. Chaiff Annie ddim gwybod am y peth.

Mae gan Annie ddigon ar ei meddwl. Beth petai Isaac yn dod i wybod am y ddealltwriaeth sydd rhyngddi hi ac Isaac Cohen? Am y deugain punt sydd wedi'u rholio'n dynn a'u stwffio i hosan yng nghefn drôr ei dillad isaf? Fe gâi haint. Ond, â'r busnes ar ei waered a'r dyledion yn cynyddu, doedd ganddi hi ddim dewis. Ac mae 'na gysur yn y ffaith nad yw Isaac Cohen yn disgwyl llog, yn wahanol iawn i'w gyfaill Moses i lawr y ffordd.

Y ffaith na ŵyr y naill am ymdrechion cudd y llall i gael arian i'w coffr cyffredin sy'n gwneud trosglwyddo degpunt o'r rholyn yn yr hosan i law Isaac yn seremoni fach ddiddorol. Y ffaith fod Annie'n credu bod Isaac wedi gorchfygu'i broblem alcohol sy'n ei gwneud yn seremoni fach ingol.

– Arian y steddfod. Cadwa fe'n saff, Isaac bach. A ti'n gweld shwt odw i'n dy drysto di? Wyt ti wedi dangos i'r hen alcohol pwy yw'r bòs.

Rhyfedd nad yw Isaac yn gofyn iddi o ble y daeth degpunt mor sydyn. Rhyfedd nad yw hithau'n nabod ei wên ddiniwed ar ôl yr holl flynyddoedd.

*

Yng nghynteddau'r *Savoy Gentlemen's Club* mae'r llyffant Pritchard newydd darfu ar y sgwrs rhwng Robert Roberts a'i fab bedydd.

– A shwt ma' bywyd priodasol yn dy siwto di, Emlyn bach? Falle byddwn ni'n clywed cyn hir bod babi ar y ffordd! Cofia di dreial stopo cyn y pumed un! Ffaeles i, myn cythrel i!

Fe sylweddola, fel y gwna bob amser, nad oes fawr o groeso iddo yn eu cwmni, ac â phwff ar ei sigâr, aiff i chwilio am rywun arall i aflonyddu arno.

– Mi oeddat ti'n sôn am Jane. Sut mae hi, Emlyn? Dwi'n poeni amdani.

– Mi fydd Jane yn iawn.

– Tydi *miscarriage* ddim yn beth i chwara efo fo . . .

– Fel deudis i, mi fydd Jane yn iawn!

Mae Robert yn ei wylio'n ysgwyd ei frandi'n ysgafn yn ei wydr, ei fysedd yn wyn yn erbyn yr hylif aur.

– Emlyn, ydy popeth yn iawn? Oes 'na rywbeth yn dy boeni di?

Yn sydyn mae Emlyn yn tynnu'r *photograph* o'i boced ac yn ei daflu ar y ford o flaen Robert.

– Oes. Hwn. Mae o'n 'y mhoeni i'n fawr. Yn 'y mhlagio i'n ddidrugaredd ddydd a nos!

Cwyd ar ei draed a llyncu gweddill ei frandi. Ac yna gafaela yn y *photograph* a'i rwygo'n ddau cyn brasgamu ar hyd y carped trwchus ac allan drwy'r drysau mawr.

Mae Robert yn gafael yn y darnau ac yn eu gosod ynghyd yn ofalus. Jane yn hardd yn ei gwisg briodas. Ifan Bach yn smart yn ei siwt. Jane yn cofleidio'i mab. Jane yn cofleidio'i fab. A rhwyg yn eu gwahanu. Rhed ei fys yn dyner ar hyd wynebau'r ddau.

*

Dyw Jane ddim yn siŵr beth yn union sy'n peri i'r dagrau gronni yn ei llygaid. Ei gwendid, ei digalondid, y ffaith fod Lizzie'n gwasgu ei llaw wrth edrych ar luniau'r briodas – neu'r lluniau eu hunain, a'r ffaith ei bod hi'n gorfod ail-fyw'r diwrnod fel petai ar ffilm.

Ond mae Lizzie'n deall. Mae hi'n deall y gwendid a'r digalondid; mae hi'n deall nad yw pethau'n dda rhwng Jane ac Emlyn. Ac mae hi'n sylweddoli rhywbeth arall hefyd – mor lwcus yw hi a John eu bod yn deall ei gilydd. Beth bynnag yw eu problemau, ac mae 'na ddigonedd, rhwng y diffyg arian a'r gorweithio, y gwrthdaro rhwng y caffi a'r tacsis, y Great Western Dairies a'r gwaith *dressmaking*, maen nhw'n caru ei gilydd, yn fwy, os yw hynny'n bosib, nag yr oedden nhw ddeng mlynedd yn ôl.

A nawr dyma Jane yn ymladd y dagrau wrth edrych ar ei lluniau priodas, yn esgus gwenu wrth glywed y tynnu coes o'i chwmpas.

– Fi, Daniel Jenkins, yw'r un perta yn y llunie 'ma!

– Beth amdana i?

– John bach, beth yw'r pwynt bod yn bert os wyt ti'n briod?
– Er mwyn i'w wraig e ddwlu arno fe!
– Lizzie – dim 'dwlu' arno fe wyt ti'n neud, ond 'i addoli fe!
A Jane yn ei gorfodi'i hunan i chwerthin. Ac yn cenfigennu'n rhacs.

*

Cyrhaeddodd y diwrnod mawr, diwrnod pen blwydd Marged Ann, a diwrnod eisteddfod Capel Brynarfor. Ac mae hi gered yn yr ardal.

Fe ddechreuodd y dydd yn dda i Marged Ann â'r holl gardiau ac anrhegion yn cyrraedd drwy'r post o Lundain. Mwy o gardiau ac anrhegion yn ystod y dydd a bellach mae hi'n cerdded o gwmpas â gwên barhaus ar ei hwyneb.

Dyw pethau ddim wedi bod cystal i Ifan Bach. Bu hwyl ddrwg ar Esther ers iddi godi, a'r adroddwr bach a gafodd flas ei thafod yn fwy na neb.

– Dwyt ti ddim hanner digon da i fynd ar y stêj 'na! Nawr gwed e unweth 'to!

Ond po fwyaf ei bytheirio hi, po fwyaf y stwbwrnai yntau a mynnu sefyll ar un goes a phwyso yn erbyn y wal ac edrych drwy'r ffenest a gostwng ei lais ar ddiwedd pob llinell a rhuthro dros y geiriau – y Pechodau Mawr ym myd adrodd eisteddfodol.

– Wel os taw fel'na wyt ti'n mynd i adrodd, fydd dim gobeth 'da ti i ennill.

Ychydig a ŵyr hi nad oes fawr o awydd ganddo i ennill gan fod criw o fechgyn yr ysgol, o dan arweiniad Benji Pen-parc, yn ei alw'n 'fapa mam' yn barod. Petai'n ennill am adrodd 'Ddoi di, Dei?' byddai dim diwedd ar eu sbort. Ei gysur mawr yw bod y gystadleuaeth yn agored i'r byd, felly mae ganddo obaith da o golli.

Rheswm arall dros hwyl ddrwg Esther yw'r ffaith bod Ifan, o'i wely yn y parlwr, wedi clywed y comosiwn rhyngddi hi ac Ifan Bach ac wedi awgrymu iddi, yn gynnil ac yn garedig, ei bod yn 'dreifo'r crwt yn rhy galed'. Os do fe. Tost neu beidio fe gafodd y claf ei siâr o flas ei thafod.

– Lles y crwt sy 'da fi mewn golwg, Ifan!

– Ond os nag yw e'n adrodd ma' fe'n gweud 'i dable; os nag yw e'n gweud 'i dable ma' fe'n neud 'i syms. Ma' mwy i fywyd crwtyn bach deg oed na phaso'r *Scholarship* ne' ennill mewn steddfode.

Mae barn Esther ynglŷn â'r mater yn derfynol.

– Gad ti'r crwt i fi.

Gweddol yw hwyl Martha hefyd ar ôl iddi ddarllen llythyr oddi wrth Jane a deall ei bod wedi colli'r babi. Mae gofid Jane yn diferu o'r papur – y boen a'r golled, yr unigrwydd, y ffaith nad yw wedi gallu rhannu'r profiad erchyll â neb ond Lizzie. Ond brawddegau ola'r llythyr yw'r rhai mwyaf ingol.

– 'Wy'n 'i garu e'n fwy nag eriôd, ond dyw e ddim yn 'y ngharu i. A ma' hynny'n neud dolur mowr i fi. Ti'n gwbod beth wedodd e wrtha' i nithwr? Bod yr unig reswm o'dd 'dag e dros 'y mhriodi i wedi ca'l 'i olchi lawr i'r *sewers*. Pwy obeth sy i ni, Martha?'

Dim yw dim, meddylia Martha, a'i chalon yn gwaedu dros ei chwaer, a'i gwaed yn berwi o gasineb at ddyn creulon, atgas a dideimlad.

Ond mae gan hithau ei phroblem, sef ei pherthynas hi a Rhys. Does dim byd mawr o'i le, dim ond rhyw hen fugutan beunyddiol ynghyd â diffyg sbort a chyffro sy'n ymylu weithiau ar ddiflastod. A'r ffaith nad oes ganddyn nhw blant. Rhyfedd o fyd – Jane yn cael plentyn anghyfreithlon ac yn ei wrthod, a hwnnw'n cael ei fagu o dan yr un to â dau sy'n ysu am gael plentyn. A nawr Jane yn colli plentyn a fyddai wedi bod yn anghyfreithlon oni bai bod ei dad wedi bod yn onest ac wedi gwneud y peth iawn.

A dyna union eiriau Rhys y bore 'ma, ond ei fod yn sôn amdani hi a'r ffaith nad oedd hi wedi crybwyll bod Jane yn feichiog.

– Y peth iawn i neud o'dd gweud wrtha i. Pam na allet ti fod yn onest â fi?

– Am bo' fi 'di addo i Jane . . .

– Ma' hi'n gamster ar gwato pethe a gweud celwydde. O'n i'n meddwl bo' ti'n wahanol, bo' ti'n onest. Ac *o't* ti slawer dydd – pan briodes i di gynta. Beth ddigwyddodd i'r groten ifanc o'dd yn taranu yn erbyn rhagrith? O'dd yn amddiffyn Sara Tynrhelyg i'r carn?

– Marwoleth Sara Tynrhelyg ddysgodd fi nad yw'r gwirionedd yn talu bob tro!

Yr un hen drefn. Cynnen fach yn tyfu'n gynnen fwy. Rhywbeth y gellid ei drafod yn gall yn dirywio i fod yn destun ffraeo gwyllt. Ac mae Martha'n penderfynu mynd â'r ffrae i'w phen draw eithaf.

– Fi laddodd Sara.

– Beth?

– Wedes i'r gwir wrthi am Ifan Bach. Taw Jane o'dd 'i fam e. Treial 'i helpu hi o'n i. Treial gweud wrthi nad hi o'dd hi ar 'i phen 'i hunan. Ond beth 'nath hi? Cered miwn i'r môr a boddi. Ti'n hapus nawr? Nawr bo' ti 'di clywed y gwir? Ti'n gwbod beth, Rhys? Ti'n deall dim!

– Wy'n deall digon i wbod na ddyle gŵr a gwraig ddim cwato pethe 'wrth 'i gilydd.

Cyrhaeddodd Isaac ac Annie neithiwr, ar y trên gyda Grace a Robert. Siom a syndod i Lywydd Anrhydeddus Eisteddfod Capel Brynarfor oedd deall bod ei frawd-yng-nghyfraith a'i wraig wedi penderfynu dod i'r wlad o gwbwl. Siom ddirfawr iddo oedd deall eu bod yn bwriadu teithio gydag Annie ac yntau. Ond y siom fwyaf oedd deall eu bod yn bwriadu dod i'r eisteddfod. Y syndod oedd bod Robert, yn fawrfrydig iawn, wedi mynnu talu am docynnau trên dosbarth cyntaf iddyn nhw. (Doedd Isaac ddim yn sylweddoli mai ar anogaeth Grace, chwaer Annie, y gwnaeth hynny, nid o unrhyw ddyletswydd tuag at Isaac na gweddill teulu Ffynnon Oer.) Ond y syndod mwyaf oedd clywed Robert yn datgelu ei gyfrinach fawr – ei ddyhead i fod yn Aelod Seneddol a'i fod â'i lygad ar sedd Ryddfrydol Sir Aberteifi.

– Sedd ddelfrydol i mi, efo fy nghysylltiada lleol. Ond mi fydd yr hen Rhys Hopkin Morris yno am flynyddoedd, decini . . . Ond dwi'n paratoi'r ffordd, ac wedi addo annerch mewn amball i gyfarfod bob hyn a hyn. Gyda llaw, Isaac, 'dach chi isio help llaw efo'r anerchiad yn yr eisteddfod fory?

Daw ateb Annie fel bwled o wn.

– Nagyw! Ma' fe'n galler gneud yn iawn 'i hunan!

Siom arall i Isaac fydd deall yn yr eisteddfod fory bod Robert hefyd yn mynd i annerch – ar ran yr Aelod Seneddol sy'n llawer rhy brysur yn Llundain i fod yn bresennol yn eisteddfodau bach y wlad.

Roedd 'na siom arall i'r Jenkinsiaid ar ôl cyrraedd Aberaeron. Pwy oedd yno yn ei gar yn barod i gyfarfod y Robertsiaid a'u cyrchu i'r Feathers ond Byron Williams y scwlmishtir – ac ysgrifennydd yr eisteddfod! Roedd eu gweld yn ysgwyd llaw mor gynnes yn ddirgelwch i Isaac, nes iddo sylweddoli mai Williams yw ysgrifennydd Rhyddfrydwyr yr ardal. Ond y lletchwithdod mwyaf oedd ffarwelio â hwy a gorfod aros wrth glwyd y stesion am chwarter awr nes i Rhys gyrraedd i fynd â nhw i Ffynnon Oer.

Yn y Feathers, Enoc oedd y cyntaf i weld Robert a Grace yn cyrraedd. Ac fel y gellid disgwyl, ar ôl gwydraid neu ddau o *rum* ar ben peint neu ddau o gwrw, mae ei dafod yn llac iawn.

– Wel, wel, bois bach! Ma'r hwrdd wedi dod 'nôl i'n gweld ni! Jawl, beth am i ni 'i gneifo fe? Na, fydde'n well 'i sbaddu fe!

Ond dyw Robert a Grace ddim yn clywed ei berorasiwn na'r chwerthin harti am eu pennau. Cywiriad. Dy'n nhw ddim yn cymryd arnyn nhw eu bod yn eu clywed.

Ym mharlwr Ffynnon Oer, a'r machlud yn taflu gwawr binc drwy'r ffenest, bu'n rhaid i Isaac wynebu siom ola'r dydd. Gweld ei frawd ar ei wely angau. Oherwydd y wawr dwyllodrus dros y stafell, doedd wyneb Ifan ddim yn amlwg welw, na'i lygaid ddim mor bŵl ag yr oedd ei frawd wedi'i ofni. Ond roedd y pantiau yn ei fochau'n amlwg iawn, a'r düwch o dan ei lygaid yn boenus o glir.

Ond clywed geiriau carbwl ei frawd sy'n rhoi'r siom fwyaf iddo.

– Ti'n cofio dwyrnod claddu Katie? Ti a fi'n mynd am wâc, a'r haul yn machlud dros y môr. A tithe'n gweud bod mwy o aur yndo fe nag o'dd ar strydo'dd Llunden. 'Na ti gelwydd, Isaac bach! Wyt ti'n werth dy ffortiwn – ond ma' mwy i ddod i ti, on'd o's e? Mwy o waddol Ffynnon Oer . . .

– Paid â chodi'r hen fusnes 'na nawr, Ifan . . .

– Paid â chodi'r hen grachen, wyt ti'n feddwl! Ond ma'n rhaid 'i chodi hi! Achos ma' hi'n bwysig nag yw Esther yn ca'l gofid. Ma' hi 'di ca'l mwy na digon o hwnnw ers blynydde. Gofid ar ben gofid . . . A nawr, ar ôl i fi fynd, fe fydd gofid 'da hi 'to. A'r cwbwl o achos hen ewyllys Dat . . . Ond cofia di hyn, pan ddaw hi'n fater o rannu popeth, wyt ti'n well dy fyd na fydd Esther fyth.

– Ti'n mynd i weud 'run peth wrth Robert?

– Odw! Os ca i gyfle. Ond addo di i fi nawr, fan hyn . . . Paid â rhoi gofid i Esther . . .

Fe ddaeth pwl o beswch drosto cyn i Isaac orfod addo dim . . .

A nawr mae hi'n fore Sadwrn braf o haf a phawb yn edrych ymlaen at ddiwrnod mawr. Mae Esther a Marged ac Ifan Bach yn brysur yn gosod blodau ar y bedd mawr, marmor, a chwestiynau lletchwith plentyn dengmlwydd yn taro fel bwledi, ac atebion gofalus canol oed mor annigonol â *Rhodd Mam*.

– Pam ma' rhai'n marw'n ifanc?

– 'Na'r drefen.

– Pwy drefen?

– Trefen Duw.

– Duw sy'n trefnu popeth?

– Ie, wrth gwrs 'nny.

– Y pethe da a'r pethe drwg?

– Do's 'na ddim 'pethe drwg' yn nhrefen Duw.

– Beth am Morgan? Yn marw'n grwt ifanc?

– Reit, 'na ddigon. Cer i roi'r pincs bach 'ma ar fedd Anti Katie.

Esther yn sychu deigryn o'i llygad â chefn ei llaw, Marged yn syllu ar enw ei hefaill mewn ysgrifen euraid ac Ifan Bach yn brasgamu draw drwy'r borfa hir at fedd ei hen fodryb Katie Roberts, yr un a gariwyd yn ei harch o orsaf Paddington ar union adeg ei eni. Dyna a wêl Robert Roberts wrth sefyll gerllaw clwyd y fynwent.

Esther sy'n ei weld gyntaf, a dyw hi ddim yn gallu credu'i llygaid. Mae'r un a gawlodd cymaint o fywydau'n meiddio mynd i siarad ag Ifan Bach, a hynny o flaen ei llygaid! Cyn iddi ruthro at y ddau, mae Robert wedi gofyn i'w fab a yw'n cystadlu yn yr eisteddfod ac wedi rhoi papur chweugain yn ei law ' i ddŵad â lwc ichdi', ac mae Ifan wedi diolch yn galonnog i'w 'Wncwl Robert'. Chaiff neb ddim cyfle i ddweud fawr mwy gan fod Esther yn gafael yn llaw'r crwt ac yn ei lusgo tuag at y glwyd, gan adael Marged Ann i wenu'n ddiniwed ar ei hewyrth. Ond mae Esther yn ei galw hithau hefyd.

– Dere Marged, ma' gwaith 'da ni yn y festri!

Does neb yn saff rhag dyn fel hwn, hyd yn oed mewn mynwent.

*

Does dim i'w glywed ym mharlwr Ffynnon Oer ond tician y cloc mawr a phwffian chwyrnu Ifan Jenkins. Oes, mae cachgi bwm yn brwydro'n ffyrnig yn erbyn cwareli'r ffenest. Mae Martha wedi mynd i'r festri at y lleill, ac mae Rhys yn carthu'r beudy. Mae'r ffordd yn glir, felly, i Robert Roberts sleifio'i ffordd i mewn i'r tŷ heb i neb ei weld.

Mae Ifan yn ei weld yr eiliad y mae'n agor ei lygaid. Ac mae Ifan yn gwenu. Mae'r dyn wedi'i gwneud hi eto. Does dim pall ar ei feiddgarwch. Dyma fe nawr yn sefyll wrth droed y gwely, ei het yn ei law a'i lygaid hebog wedi'u hoelio ar wyneb ei gynfrawd-yng-nghyfraith.

– Robert! Bachgen, bachgen, beth wyt *ti'n* neud 'ma?

– Fi – o bawb – wyt ti'n 'i feddwl, ia?

– Do's dim croeso i ti . . .

– 'Mond isio holi am dy iechyd . . .

– Gneud yn fowr o dy gyfle ola . . .

– Dim o gwbwl . . .

– Wy'n marw, Robert. Hwn yw 'ngwely ange i.

– Be mae dy ddoctor di'n ddeud?

– Sdim byd allith e neud i fi ragor. Sdim un doctor yn galler gwella poen meddwl. Hwnnw sy wedi'n rhoi i fan hyn.

Pwl o beswch, ac Ifan yn ymdrechu i'w godi ei hunan yn uwch yn erbyn y gobennydd, a Robert yn cynnig help llaw iddo. Ac Ifan yn gwthio'i law i ffwrdd. A Robert yn camu'n ôl unwaith eto a sefyll wrth droed y gwely.

– Gwed wrtha i nawrte . . .

Mae'r frest yn dynn a'r anadlu'n boen.

– Gwed wrtha i – shwt ma' Jane fach? Ody'r gŵr 'na sy 'da hi'n 'i pharchu hi?

Cwestiwn annisgwyl, hyd yn oed i hen law ar ddweud celwydd.

– Ydy, am wn i . . .

– Ody fe'n gwbod taw ti yw tad Ifan Bach?

Cwestiwn gwaeth. Ond mae Ifan yn ei ateb drosto.

– Wrth gwrs nag yw e'n gwbod! A wyt tithe'n gweddïo na ddaw e i wbod!

Pwl o chwerthin chwerw'n troi'n beswch ac o garthu fflem i hances boced.

– Fydda i byth yn gweddïo. Ble fydde dechre gofyn am faddeuant? Ond 'na fe, falle bo' dy dduw di wedi madde i ti'n barod. 'Ond nid fy nuw i yw eich duw chwithau . . .'

Yn sydyn mae'r jŵg a'r gwydraid o ddŵr sydd ar y ford fach yn ysgwyd wrth i Esther fartsio drwy ddrws y ffrynt a'i glepian fel taran y tu cefn iddi. Ac yna distawrwydd llethol. Mae hyd yn oed y cachgi bwm yn dawel fel petai'n awyddus i weld beth fydd yn digwydd nesaf. Sefyll yn stond a wna Esther, rhwng y ddau ddyn. Ac mae ei llygaid ar dân.

– O'n i'n gwbod y byddech chi 'ma! Y byddech chi'n mynnu dod i darfu ar Ifan! Wel cerwch o 'ma! A fel gwedes i wrthoch chi ddeng mlyne' 'nôl, pidwch byth â sengi'ch tra'd yn y lle 'ma 'to!

Mae'r llygaid hebog yn culhau. Ond ufuddhau i orchymyn Esther yw'r unig ddewis – hyd yn oed i hebog.

*

Mae'r llyffant Pritchard yn llygadu siop gaeëdig Isaac Cohen ac yn gwrando ar Dan a John yn trafod. Wel, Dan sy'n pregethu wrth John am y 'cadno crintachlyd'.

– Fydde'r iard 'na sy 'da fe yn y cefen yn siwto'n grêt. Pritchard fan hyn yn buddsoddi'r arian, a finne'n cadw'r motors i gyd 'na. Ond so'r cadno mên yn moyn gwbod. 'Na fe, shwt allith rhywun drafod busnes 'da Iddew?

– Clywch, clywch!

Pritchard sy'n ategu barn ei bartner newydd wrth gerdded yn hamddenol at y clwydi mawr y drws nesaf i'r siop a phipo drwyddyn nhw. Mae Dan yn dal i draethu.

– Fe flingodd e fi flynydde'n ôl. A ma' hi'n anodd madde . . .

– Jawl eriôd! *Look at this!*

Mae'r llyffant yn gegagored.

– Ma' lle aruthrol 'ma! *Enough room for half a dozen charabancs*, Dan bach. *This yard is worth a gold mine!*

– *But it's not* mine, *yet, Pritchard.*

– *Not* mine, *you mean! But we'll get it from the* cadno*!*

Dy'n nhw ddim wedi sylweddoli bod y cadno ei hunan yn sefyll y tu ôl iddyn nhw.

– *Shalom*! Prynhawn da *to you all.*

– *Isaac! How are you? Just the man we want to see! Mr Pritchard here would like to discuss some business with you.*

Gwên gyfrwys gan y cadno a nòd o'i ben.

– *No business on the Sabbath,* Daniel bach . . .

Gwên arall ac fe ddiflanna i mewn i'w siop.

– Twll dy din di'r Iddew bach! *For the time being* – ontefe, Dan!

Mae John yn sylwi ar y partneriaid busnes yn wincio ar ei gilydd.

*

Pedwar o'r gloch y prynhawn, ac mae'r capel o dan ei sang a'r pulpud yn drwch o fagiau gwobrwyo bach lliwgar. Ar lwyfan a godwyd yn arbennig mae bord ac arni bapurau a thystysgrifau a phentyrrau bach o arian, ac yn eistedd yn ddefodol wrth y ford mae Byron Williams, Bet y Post a Mrs Davies, Sea View Cottage, ill tri'n cyflawni'u swyddi pwysig yn drefnus ac yn gymen. Mae'r ddau feirniad – y beirniad adrodd a llenyddiaeth, a'r beirniad canu a cherddoriaeth – yn eistedd yn yr ail res o'r blaen, ac o'u cwmpas, hyd at y drysau, mae dwsinau o gystadleuwyr a chefnogwyr brwd wedi'u gwasgu i mewn i'r seddau. Ar y chwith i'r pulpud, mae'r piano a'r delyn a stôl fach bren; ac ar y dde mae cadair dderw'r eisteddfod yn ei holl ogoniant, a chleddyf seremonïol yn pwyso ar ei breichiau.

Cafwyd seremoni agoriadol rymus, a chroeso'r Ysgrifennydd yn gynnes ar ran ei gyd-drefnwyr a holl aelodau'r capel a weithiodd mor ddyfal i gynnal diwrnod – a noson hir, debyg iawn! – o gystadlu brwd. O ran nifer y cystadleuwyr, cyhoeddodd fod yr argoelion yn dda ar gyfer eisteddfod i'w chofio. Cafwyd gair byr o groeso i Mr a Mrs Isaac Jenkins, Llundain, y Llywydd Anrhydeddus a'i wraig, a'r wybodaeth mai am saith o'r gloch y byddai'n traddodi'i araith. Ond, yn y cyfamser, roedd hi'n bleser ganddo estyn croeso i aelod arall o deulu Ffynnon Oer, neb llai na'r Doctor Robert Roberts, y meddyg enwog o Harley Street, Llundain, a fyddai hefyd yn dweud gair – ar ran yr Aelod Seneddol, Mr Rhys Hopkin Morris.

Ond yn y cyfamser, 'bant â'r cart' a phob lwc i bawb ar y cystadlu.

Mae Isaac wedi dechrau gwingo'n anniddig yn ei sedd yn barod.

*

Ddwyawr yn ddiweddarach, a'r gynulleidfa wedi ei swyno neu ei byddaru neu ei diflasu droeon gan ddatganiadau gwych a gwachul o 'Iesu Tirion' a 'Nant y Mynydd' a 'Tlysau Hoff Yr Iesu', daeth awr fawr Ifan Bach. Dyma fe, yn ei drowsus llwyd a'r crys gwyn a gafodd yn newydd ar gyfer priodas Jane, ei wallt wedi'i gribo a'i wasgu'n sownd yn erbyn ei ben. Fe yw'r seithfed o'r naw cystadleuydd, ac mae Ifans yn gofyn am yr un chwarae teg iddo ag y cafodd y chwech arall. Bu'n ugain munud hir i'r hen grwt, yn eistedd o flaen y pulpud, yng ngŵydd pawb, yn gwrando ar chwech 'Ddoi di, Dei?' Roedd hi'n anodd wynebu'r gynulleidfa drwy'r amser, er bod Martha a Marged a pherthnasau Llundain i gyd – a Defi Oernant – yn gwenu'n gefnogol arno, a mynnai ei lygaid wibio rhwng wyneb disgwylgar Esther a chrechwen Benji Pen-parc.

Mae'r gynulleidfa'n dawel, ddisgwylgar, ac Ifan Bach yn dweud y teitl gydag arddeliad.

– 'Ddoi di, Dei?'

Nòd foddhaus gan Esther. O leiaf mae'r teitl wedi'i phlesio. Yna, llyncu poeri'n sydyn, a dechrau arni, a'r pennill cyntaf yn mynd rhagddo'n ddi-fai, er ei fod yn dweud y geiriau'n gyflymach nag yr oedd ceg Esther yn eu meimio. Rhaid iddo arafu tipyn yn yr ail bennill . . .

– 'Pwy fu'n plannu'r blodau gwylltion?
W'st ti, Dei?
Dada bia'r rhos a'r pansi,
Fo a fi fu yn eu plannu.'

Mae hi'n anodd iddo gadw ei olygon ar wyneb Esther a chanolbwyntio ar ei cheg yn symud gan fod Benji a Wil John a Morlais Penbryn draw wrth y drws yn ei ddynwared ac yn tynnu wynebau arno. Ond rhaid brwydro 'mlaen yn ddewr.

– 'Blodau'r ddôl, pwy blannodd rheiny?
W'st ti, Dei?'

Clirio'r llwnc yn sydyn – a mynnu bod ei lygaid yn anelu'n syth at wyneb Esther. Dyw Benji a'r lleill ddim yn bod, ond os ydyn nhw'n bod, dy'n nhw ddim yn tynnu tafod nac yn chwerthin y tu ôl i'w dwylo.

– 'Dacw nhw yn mynd i'r gwely,
Wel 'di, Dei?
Cau eu llygaid yn ddibryder . . .'

Ac yna tywyllwch. Tywyllwch llwyr a dudew. Cipolwg cyflym ar geg Esther, ond does dim posib dehongli'r geiriau. Ail-ddweud y llinell flaenorol yw'r unig ddewis.

– 'Cau eu llygaid yn ddibryder . . .'

Dim byd yn dod o hyd. Dim yw dim, heblaw am siffrwd anghysurus y gynulleidfa a phwffian chwerthin Benji a'r bois, cyn iddyn nhw droi a mynd allan drwy'r drws. A'r eiliad honno fe ddaw'r llinell nesaf a gweddill y gerdd yn ôl i'w gof fel manna o'r nefoedd.

– 'Plygu'u pen i ddweud eu pader.
Ddoi di adre? Nawr yw'r amser.
Ddoi di, Dei?'

Mae'r gynulleidfa – heblaw am Defi Oernant – yn curo dwylo'n llawn cydymdeimlad ac yn sibrwd 'Tr'eni mowr' a 'Whare teg i'r crwt am gario 'mla'n'. Curo'i ddwylo'n wyllt a gweiddi 'Da iawn, Ifan' wna'r hen Oernant.

Wrth fynd lawr o'r llwyfan ac anelu at ei sedd yn ymyl Esther, er bod Ifan Bach yn clywed llais Mister Williams yn cyflwyno'r adroddwr nesaf, llais rhyw bregethwr o'r gogledd sy'n taranu yn ei ben, yr un a fu'n llafarganu'n lleddf yn ddiweddar am 'Goncro siom, gyfeillion annwyl!' ac am 'Gofio hyn, gyfeillion! Bod bywyd yn mynd yn ei flaen! Er gwaethaf methiant a siomedigaeth lem!' Ond mae wyneb siomedig Esther yn bortread o fywyd wedi dod i stop am gyfnod. A does arno mo'r awydd lleiaf i fynd ati i eistedd. Ac mae meddwl am wynebu'r lleill – ei chwiorydd a pherthnasau Llundain, yn enwedig Wncwl Robert – yn gwneud i'w stumog droi.

Mae rhywbeth arall ar ei feddwl hefyd. Dial. Dyna pam y mae'n rhuthro i lawr yr eil, heibio i Esther, heibio i'r wynebau cyfarwydd ac allan drwy'r drws. Gŵyr yn union ble i gael gafael ar y sawl y bydd yn dial arno.

Ac mae'r dial yn felys iawn. Brasgamu draw at wal y fynwent lle mae Benji'n yfed lemonêd gyda'i osgordd, ac un pwnad yn ei fol nes bod y lemonêd yn tasgu o'i geg a'i fod yntau'n griddfan ar lawr fel buwch yn bwrw llo. Ond mae ganddo ddigon o wynt i weiddi ar ei elyn sy'n sefyll uwch ei ben, ei ddyrnau'n barod am fwy o ffeit.

– Aros di, Ifan Bach! Aros di nes clywith dy fam am hyn. Ne' dy fam-gu ddylwn i weud!

Bonllef o chwerthin ac mae Ifan ar fin ei fwrw eto. Ond mae braich gref yn ei atal, a llais tawel yn siarad.

– Gad ti lonydd iddo fe, Ifan. Gad ti lonydd i'r bwli bach.

Cyfuniad o emosiynau sy'n peri i'r dagrau lifo. Tymer; rhyddhad o weld Luther yn ymyrryd ac yn ei achub rhag mynd i fwy o drwbwl; a siom. Siom oherwydd methiant – un o fethiannau prin ei fywyd hyd yn hyn oedd ffiasco'r adrodd. A siom mwy amwys, mwy annelwig. Siom yn yr hyn a ddywedodd Benji ynglŷn â'i fam. Neu ynglŷn â'i fam-gu. Does ganddo ddim mam-gu . . .

Y cyfuniad hyn sy'n peri i Ifan Bach ddechrau rhedeg nerth ei draed ar hyd y ffordd i gyfeiriad Ffynnon Oer.

Gan Luther y mae'r gair olaf.

– Wyt ti'n hapus nawr? Y bwli?

*

Symudwyd y cleddyf seremonïol o'r neilltu, ac mae Isaac Jenkins yn eistedd yng nghadair dderw'r eisteddfod, ei goesau pwt yn hongian ddwy fodfedd o gyrraedd y llawr. Bysedda'r nodiadau papur sydd yn ei law yn nerfus, gan hanner gwrando ar eiriau canmoliaethus Byron Williams ynglŷn â'r fraint o gael un o feibion Ffynnon Oer yn Llywydd Anrhydeddus am eleni. Mae'r geiriau 'Cardi arall sy'n gwneud yn dda yn Llundain' a 'llwyddiant yn y busnes lla'th' ac 'esiampl ardderchog i ni i gyd' yn digwydd fwy nag unwaith. Er gwaethaf ei nerfusrwydd, mae'n rhaid i Isaac wenu. Petai'r twpsyn hirwyntog yma ddim ond yn gwybod ei hanner hi . . .

Cymeradwyaeth weddus, ac mae Isaac, ar ôl ychydig bach o drafferth i godi o'r gadair, ar ei draed ac yn annerch y gynulleidfa'n betrus drwy sôn am y fraint a'r anrhydedd a deimla fel alltud o'r gymuned i fod yn ôl ar dir ei febyd, yn troedio'r hen lwybrau ac yn cynrychioli'i deulu mewn achos sy'n agos iawn at ei galon. Hyfryd, meddai, yw cael y cyfle i dalu'n ôl ychydig – ychydig iawn, cofiwch – o'r ddyled sydd arno i'r ardal, ac yn enwedig i'r capel. Ugain munud a sawl cymal ailadroddus yn ddiweddarach fe ddaw at derfyn ei araith drwy sôn am Daniel, y mab, a fyddai wrth ei fodd yn cael bod yma heddiw, ond, yn anffodus, sy'n gorfod edrych ar ôl y siop. Ac yna fe ddaw unig jôc yr araith.

– Ma' fe'n rhedeg cwmni tacsis hefyd. Tacsis a siarabángs. A os byddwch chi byth yn Llunden, galwch hibo i Jenkins' Taxis. Fydde fe'n falch iawn o ga'l mynd â chi yn sangdifang yn y siarabáng!

Annie yw'r unig un sy'n chwerthin, felly does dim amdani ond dweud 'Diolch yn fowr' yn swta a mynd i eistedd i'w sedd a gwrando ar y gymeradwyaeth lugoer. Ac ochneidio. A gresynu iddo gytuno bod yn blwmin Llywydd Anrhydeddus yn y blwmin eisteddfod geiniog a dime 'ma. Treuliodd nosweithiau'n paratoi'r araith, a nosweithiau'n ei hymarfer, heb sôn am y nosweithiau di-gwsg yn poeni yn ei chylch. Bu'r chwarter awr olaf yma'n hunllef. Ac mae arno syched.

Ond o leiaf mae Williams yn diolch iddo'n gynnes ac yn sôn am ei 'gyfraniad hael i goffrau'r achos'. Da iawn ti, Williams bach. Ond jawch, mae arno syched.

Ac wrth i Williams gyflwyno'r enwog Dr Robert Roberts drwy ddweud nad oes angen cyflwyno dyn o'i galibr ef, mae Isaac yn sibrwd wrth Annie ei fod yn mynd am 'dwtsh o awyr iach'. Cyn iddi allu protestio dim, fe sleifia at y drws ac allan.

*

Mae Robert Roberts ar anterth ei berorasiwn orchestol, a'r gynulleidfa yn ei law yn cymeradwyo bob yn ail frawddeg.

– Parch! Dyna beth sydd 'i angan yn yr hen fyd yma!

Cymeradwyaeth.

– Parch at bobol lle bynnag y maen nhw – Sir Aberteifi, y sir orau yn y byd . . .

Cymeradwyaeth.

– Neu Lundain, neu'r Almaen, neu ben draw'r byd.

Cymeradwyaeth.

– A sôn am barch, dwi yma heno'n cynrychioli un y mae gen i barch aruthrol tuag ato. Rhys Hopkin Morris. Dyna i chi ddyn o galibr, chwedl Mr Williams gynnau!

Cymeradwyaeth.

– Dyna i chi un sy'n parchu pawb – y cardotyn salaf, a'r dyn cyfoethog yn ei blasty, waeth beth fo'i liw na'i lun, waeth faint 'i gyfoeth, waeth beth 'di'i safle fo mewn cymdeithas. Mae o'n parchu'r *dyn*. A dyna i mi, gyfeillion, ydi sylfaen gadarn Rhyddfrydiaeth iach.

Cymeradwyaeth fyddarol. A dyna ddiwedd ei araith a'r cyfle i Ryddfrydwyr iach Brynarfor ddangos eu gwerthfawrogiad o ddau ddyn rhyfeddol o ryddfrydol – Rhys Hopkin Morris, a'i olynydd arfaethedig.

Gall Isaac glywed y fonllef o gymeradwyaeth o'r twll tywyll a elwir yn obeithiol yn dŷ-bach y dynion. Dracht sydyn, ac un arall, ac un arall eto o'i fflasg ac fe deimla wres cysurlon yn ymledu drwy ei gylla. Un ddracht eto ac fe fydd yn barod i ddychwelyd i ffau'r llewod. Yn barod? Gŵyr yn iawn ei fod yn ei dwyllo'i hunan. Fydd e byth yn barod. Mae dychmygu treulio gweddill y noson, tan oriau mân y bore, yn esgus mwynhau diwylliant diflas twll-din-byd Brynarfor yn ormod iddo . . .

Ac mae Isaac yn rhyfeddu ato'i hun. Beth sy'n digwydd

iddo? Fe fabwysiadodd feddylfryd estron. Nid Dan yw'r unig un i gefnu ar safonau 'Yr Hen Wlad'. Mae deng mlynedd ar hugain yn y ddinas fawr wedi peri iddo fabwysiadu syniadau bas ei fab. Ac fe gywilyddia . . .

Ond mae'r ateb yn un syml. Rhaid chwilio am esgus, am ddihangfa gyfleus.

Dracht hir arall o'r fflasg . . . Ac un arall . . .

*

Erbyn hyn mae'r gadair dderw yn ei phriod le ar ganol y llwyfan, a rhyw ddeg o swyddogion yr eisteddfod yn sefyll o'i chwmpas, yn gwrando ar draethu huawdl y beirniad.

– A'r ffugenw olaf o'r saith yw 'Noa'. Ac mae 'Noa' yn fardd o'r iawn ryw, a'r testun 'Ar Gyfeiliorn' wrth fodd ei galon. Stori ar gân yw hi, am ferch ifanc yn mynd ar goll yn Llundain. Mae arni hiraeth dwys am ei chartref yn y wlad. Gwrandwch!

'Ar lan Afon Tafwys daeth Hiraeth
Fel cawod o gesair cas
Am gerdded ar lannau Aeron,
A rhedeg drwy'r dolydd cras.'

Martha a Robert Roberts, dau debyg o ran crebwyll, sy'n sylweddoli gyntaf am bwy – a chan bwy – y mae'r gerdd. Yn reddfol hollol, mae'r naill yn taflu edrychiad draw at y llall cyn hoelio'u sylw'n ôl ar y beirniad.

– Gwrandwch ar y bardd yn uniaethu hiraeth y ferch â chaledi'r tywydd ac â'i heiddilwch hi ei hunan.

'Mor galed oedd gaeaf Llundain;
Ei stormydd i groten mor wan
A rwyga'i chorff, ac fe gredai
Nad oedd iddi ffrind mewn un man.'

Erbyn hyn, Marged Ann yw'r unig un o deulu agos ac estynedig Ffynnon Oer i beidio â deall arwyddocâd y geiriau na tharddiad ac awduraeth y gerdd. Ond fe bair sylwadau nesaf y beirniad iddi syllu arno'n llawn rhyfeddod.

– Mae'r hiraeth yn dwysáu oherwydd marwolaeth ei brawd ac am nad yw hi'n hapus yn ei gwaith yn gweini ar un o'r crachach, un o hoelion wyth y capel Cymraeg ac un o bileri Cymry Llundain. Mae hi'n diflasu ar ragrith 'i mishtir ac yn dyheu am fynd 'nôl at 'i rhieni yn y wlad. Ond yng nghanol y storom fowr, mae ganddi un ffrind, trempyn, sy'n dod â hi adre'n saff i Sir Aberteifi, y sir orau yn y byd, fel gwedodd Doctor Robert Roberts gynne. Gwrandwch ar hyn!

'Dod â hi i berci'r cynhaeaf
At wres a chroeso ei thras,
I suddo i freichiau ei thylwyth
Mor glyd â'r gwair yn y das.'

'Na chi weud, gyfeillion! Digon i ddod â dagre i'ch llyged chi! Ac oherwydd mai dyna'r math o safon a geir drwy'r gerdd, does gen i ddim amheuaeth mai 'Noa' yw bardd gorau eisteddfod Brynarfor, mil naw tri un. Ond . . .

Mae'r gynulleidfa'n dechrau cymeradwyo, a'r beirniad yn codi ei law i'w hatal.

– Ond – cyn i chi gymeradwyo, mae arna i ofn mai siom sy o'ch bla'n chi. Dwy siom, a gweud y gwir. Yn gyntaf, gan na chadwodd 'Noa' at reolau'r gystadleuaeth drwy roi ei enw a'i gyfeiriad yn yr amlen dan sêl, doedd dim dewis gan y pwyllgor ond ei dorri mas o'r gystadleuaeth. Ac yn ail, gan nad oes un o'r chwech ymgeisydd arall yn dod yn agos at safon 'Noa', ofnaf y bydd yn rhaid atal y gadair. Diolch yn fawr.

Ochenaid gymunedol, a Williams, ar ran pawb, yn mynegi siom ac yn diolch i'r beirniad am ei waith caled a thrylwyr ac yn cyhoeddi bod y pwyllgor wedi penderfynu bod y gadair dderw hardd yn cael aros yn y capel fel cadair-o-flaen-y-pulpud. Mae'r gynulleidfa'n cymeradwyo, er gwaethaf ei siom. Ac mae'r holi'n dechrau. Pwy yw'r bardd? Pam na fyddai wedi cadw at y rheol? A phwy yw gwrthrych y gerdd?

Mae hi, erbyn hyn, ar ei ffordd yn ôl i Ffynnon Oer.

*

– 'Rhoi fy mhen bach lawr i gysgu
Rhoi fy enaid i Grist Iesu;
Os byddaf farw cyn y bore,
Duw dderbynio f'enaid inne . . .'

Mae hi'n hwyr y nos yn Ffynnon Oer, ac mae Ifan Bach ar ei liniau wrth ei wely. Dyw e ddim yn gallu cysgu. A pha ryfedd? Dyma un o ddyddiau gwaethaf ei fywyd, os nad y gwaethaf oll. Siomi Esther, siomi'i hunan, siomi pawb – a'i wneud ei hunan yn destun sbort o flaen ei deulu a'i gyfeillion.

– 'Rhoi fy mhen bach i lawr,
Cau fy llygaid bach yn awr.
Arglwydd, boed dy lygaid di
Uwch fy ngwely bychan i . . .'

Mae ei feddwl draw yn y capel, ble mae'r sbort siŵr o fod ar ei anterth erbyn hyn. Ond doedd ganddo ddim calon i ddychwelyd yno, dim ar ôl y sioe gyda Benji Pen-parc. A dweud y gwir, fe gafodd noswaith ddigon difyr gydag Ifan a Luther yn y parlwr. Roedd y ddau'n llawn cydymdeimlad ynglŷn â'r drychineb yn y capel, ac yn pwyso'n daer arno i gofio mai dysgu colli yw'r wobr orau. Ond mae hi'n anodd iddo dderbyn hynny heno.

– 'Os pechais yn dy erbyn di,
Arglwydd, maddau'r oll i mi.
Golch un bychan ben a thraed,
Iesu, yn dy ddwyfol waed.'

Luther sy'n gwarchod Ifan er mwyn i Rhys gael mynd i'r eisteddfod. Fe fydd pawb yn y pentre yno erbyn hyn, pawb yn yr ardal, hyd yn oed y plant lleiaf a'r babis bach. Pawb ond Ifan Bach Jenkins, Ffynnon Oer . . .

– 'Mae plant yn nheyrnas Iesu
Yn wyn fel eira mân,
Mae plant yn canu'n beraidd
O fewn i'r nefol gân.

O na ddwys ystyriem
A chofio hyn bob cam,
Bod eisiau Iesu'n gyfaill,
Mae'n well na thad na mam . . .'

Beth oedd ystyr dannod sbeitlyd Benji? Does gan Ifan Bach ddim mam-gu . . .

– 'Mae'n gyfaill mewn cystuddiau
A blin ofidiau maith,
Yn gymorth pur mewn angau,
A thaw ar ben y daith.'

Mae Luther yn pipo mewn drwy'r drws ac yn gweld crwt bach penfelyn mewn crys nos gwyn yn penlinio wrth y gwely.

– 'O Dduw, tro fy enaid,
A gwna fi'n blentyn da,
Er mwyn Iesu Grist. Amen.'

Mae Luther yn troi ac yn mynd lawr y staer i'r parlwr. Yno mae Marged Ann yn disgwyl amdano, ei hwyneb yn welw.

– Chi enillodd, Luther. Am gerdd y gader . . .

– Ife, nawr.

Mae Ifan yn edrych o'r naill i'r llall.

– Shwt allet ti fod wedi ennill? Wyt ti 'di bod fan hyn, 'da fi, drw'r nos.

– Fe enillodd e, Dat. Ond do'dd e ddim 'na.

– Wel y twpsyn dwl!

– A do'dd neb yn gwbod pwy o'dd e . . . Ond o'n *i*'n gwbod . . .

– O't glei . . .

Mae Luther yn gwenu arni. Ac yn sydyn mae Ifan yn deall, ac yn cynnig ei law fusgrell, wythiennog, las i Luther.

– Congráts mowr i ti!

– Diolch . . .

– Ond wyt ti'n dala'n dwpsyn dwl! Herio'r drefen fel hyn o hyd . . .

Mae Marged yn ysgwyd ei phen.

– Pam, Luther?

– Pam beth, Marged fach?

Dyw hi ddim yn siŵr. Pam ysgrifennu cerdd amdani hi? Pam torri'r rheol a pheidio â rhoi ei enw yn yr amlen? Pam cadw draw yn llwyr o'r eisteddfod? Pam gwrthod celficyn mor hardd? Mae'r cyfan yn rhy gymhleth iddi. A'r gwir yw, mae'r cyfan yn rhy gymhleth i Luther hefyd, er gwaetha'i allu a'i grebwyll mawr. Ond onid yr allwedd i'r holl ddirgelwch yw'r geiriau 'herio'r drefen' a 'thorri'r rheol'?

*

Gorffennaf, 1931

Mae dau beth rhyfedd yn digwydd yn Acton Street. Mae Isaac Jenkins yn tyrchu'n wyllt ymhlith yr annibendod sy'n llenwi hen feudy'r Dairy, ac mae ei fab yn syllu ar boster sy'n hysbysebu *Woman of the Night*, ffilm ddiweddaraf yr actores enwog Anna Johnson, cyn edrych o'i gwmpas yn slei, tynnu'r poster oddi ar y wal a'i stwffio tu mewn i'w siaced.

Daw'r ateb i'r dirgelwch cyntaf yn glir wrth i Dan gyrraedd yr iard a chlywed sŵn y tyrchu a'r chwilota yn y beudy. Gwenu a wna Dan, a dringo i mewn i un o'i dacsis. Mae ei dad yn cael ei ffwdan arferol i gael gafael ar botel guddiedig.

*

Mae dirgelwch arall yn digwydd ar y clogwyn uwchben Gilfach yr Halen. Mae Luther Lewis, ei het fawr am ei ben a'i glogyn yn chwyrlïo yn y gwynt, yn gwthio Ifan Jenkins mewn *bath-chair* ar hyd ymyl y dibyn. Droedfedd i'r chwith ac fe fyddai'r *bath-chair* a'i chynnwys yn syrthio gan troedfedd i'r creigiau islaw. Ond mae'r llwyth mewn dwylo da.

Mae'r ddau'n chwerthin wrth flasu cyffro sy'n ymylu ar berygl, y naill yn ddyn bach musgrell, wedi'i fwndelu'n dynn mewn carthen liwgar, er gwaethaf gwres llethol prynhawn o haf; y llall yn ddyn mawr, corffog, byr ei wynt. Bu'r ddau yn ddynion cydnerth unwaith.

– Bachgen, bachgen, 'ma beth *yw* gambo, Ifan Jenkins! Cerbyd Cesar, myn cythrel i! Jawl, allen ni gystadlu yn rasys Cei Newydd – ac ennill yn hawdd hefyd!

Mwy o chwerthin, cyn rhoi'r brêcs ar y sbort, a gorffwys, a syllu lawr ar y bae bach dirgel islaw. Pesychiad a charthiad a phoerad – ac yna llais bach gwan yn trio siarad.

– Gwed wrtha i, Luther . . . Wyt ti'n credu mewn maddeuant?

– Bachgen, bachgen! 'Na ti gwestiwn! Fe faddeues i i sawl un – a ma' sawl un wedi madde i fi . . .

– Wyt ti'n credu yn Nydd y Farn?

– 'Yr euog rai' o fla'n 'u gwell a phethe . . . Ond pwy yw'r 'euog rai'?

– 'Wrth 'u gweithredoedd yr adnabuwch hwynt', Luther bach.

Ochenaid o ddyfnder ei enaid gan Ifan, a Luther yn dweud wrtho ei fod yn fodlon gwrando ar beth bynnag sy'n ei boeni. Ac ateb Ifan yn iasol . . .

– Na, ma' hi'n rhy hwyr, Luther bach . . . Rhy hwyr . . .

*

Mae hi'n mynd yn hwyr. Aeth dwyawr heibio ers i Ifan fynnu mynd am dro. Ac mae Esther yn dechrau poeni.

Rhys sy'n ei chael hi ganddi gan mai fe a gafodd y cyfrifoldeb o fynd ag e am 'dwtsh o awyr iach'. Er i Rhys egluro bod Luther wedi ymuno â nhw wrth glwyd Cae Top a bod Ifan wedi mynnu mai ei hen ffrind oedd i fod i'w wthio o hynny 'mlaen, mae Esther yn dal i'w feio am 'esgeuluso'i gyfrifoldeb'. Does dim dal beth ddigwyddith, â Luther wrth y llyw!

Y gwir yw fod Esther yn dal i frifo ar ôl i Ifan weiddi arni bod dillad ei wely'n drewi a'i fod am fynd 'mas am dwtsh o awyr iach er mwyn jengyd rhag y drewdod!' Petai hi ddim ond yn gwybod bod Rhys yn cael ei frifo'n aml y dyddiau hyn gan dafod miniog Ifan. Petai hi ddim ond yn gwybod nad yw'n sôn am y peth gan ei fod yn gwybod mai'r salwch sy'n cael gafael arno. Petai hi ddim ond yn gwybod ei fod yn dal i frifo ar ôl beth a ddywedwyd wrtho gynnau, pan ddaeth Luther atyn nhw a chyfarch Ifan.

– Ifan Jenkins. Ma'n dda dy weld ti mas.

Ac Ifan yn edrych i fyw llygaid Rhys, yn ateb.

– Fydde ambell un yn hapus i 'ngweld i yn 'y medd. Cer â fi o 'ma, Luther . . .

*

Mae 'na ddyn a menyw yn gorwedd ar fedd mewn mynwent dywyll. Mae hi'n noson stormus, y gwynt yn rhuo a'r niwl yn chwyrlïo o'u cwmpas. Mae hi'n anodd eu deall yn siarad.

– *Raymond, I must go.*

– *But darling, you cannot leave me now.*

– *My husband! He'll be wondering where I am.*

– *Forget about him . . .*

– *I can't . . .*

Mae hi'n gwenu arno, ei gwefusau coch yn datgelu dannedd gwyn, miniog. Mae yntau'n toddi yn ei gwên.

– *You temptress! Can't you stay until sunrise? Just for me?*

– *Not even for you, my dearest. Don't you remember? I'm a woman of the night!*

Maen nhw'n cusanu, yn ddwfn, yn angerddol. Ac mae ei chlogyn du'n eu gorchuddio nhw ill dau . . .

Fe welodd y Parchedig William Jones hen ddigon. Dyma fe'n codi ar ei draed a gwthio'i ffordd rhwng y seddau, rhwng y rhesi o gariadon sy'n cusanu ac yn byseddu'i gilydd yn y tywyllwch ffug. O'r diwedd fe gyrhaedda ddrws y sinema, a diolch am y chwa o awyr iach wrth wynebu goleuadau llachar Leicester Square. Allan ar y stryd, fe wêl wynebau hardd Anna Johnson yn gwenu arno oddi ar y waliau.

*

Mae dau bâr priod yn dadlau, ac mae'r ddwy ddadl ynglŷn ag etifeddiaeth.

Yn eu fflat uwchben y caffi mae John a Lizzie wedi bod yn trafod, eto fyth, eu cynlluniau ar gyfer y dyfodol. Fe gytuna'r ddau bod gofyn i bethau newid yn sylfaenol. Gwaith a gorffwys yw eu bywydau. Ond mae John yn gwrthod derbyn, eto fyth, mai'r *dressmaking* fydd eu hachubiaeth. I'r gwrthwyneb, maen melin ydyw, yn rhywbeth sy'n mynd â mwy o egni Lizzie, yn rhywbeth y mae'n rhaid buddsoddi ynddo'n gyson, heb gael fawr ddim yn ôl ond ambell dâl ysbeidiol.

Y *dressmaking* yw achubiaeth Lizzie. Crefft sy'n rhoi pleser a chysur iddi yw creu gwisgoedd priodas cywrain, nid gwaith diflas. Mae hi'n feistres ar ei chrefft ac fe deimla ym mêr ei hesgyrn y gall lwyddo i greu busnes llewyrchus a chyffrous. Ond sut mae argyhoeddi John o hynny, ac yntau'n gwrthod trafod mynd i ddyled er mwyn prynu un o'r peiriannau gwnïo gwych sydd ar werth y dyddiau hyn?

– Lizzie fach, shwt allwn ni fynd i fwy o ddyled?

– Ma' mynd i ddyled yn rhan o redeg busnes! Gofyn di i Dan!

– A gofyn di i Wncwl Isaac ac Anti Annie! Ma' mwy o ddyledion 'da nhw nag o'dd 'da nhw ugen mlynedd 'nôl!

Ond heno, ar ôl diwrnod hir o yrru tacsis, ar ôl noson o weithio'n hwyr yn y caffi, mae gan John gynlluniau eraill.

– Lizzie, licen i fynd 'nôl i ffarmo.

Mae'r pwytho cywrain yn dod i ben yn sydyn, ac mae Lizzie'n syllu arno'n syn.

– Ar ôl i Dat farw, licen i ffarmo Ffynnon Oer.

– Ond Rhys a Martha fydd yn ffarmo Ffynnon Oer! Nhw *ddyle* neud!

– Ond cofia di taw fi yw'r mab hyna. Taw fi yw'r *unig* fab!

Yn sydyn mae Lizzie'n taflu'r ffrog sidan wen o'r neilltu ac yn sefyll ar ei thraed. Mae ei hwyneb yn welw gan dymer.

– A chofia di taw fi yw dy wraig di! A'r peth diwetha wy i isie'i neud yw mynd 'nôl i Ffynnon Oer! Wedyn fydd raid i ti fynd 'na dy hunan!

Yn eu stafell wely uwchben y siop mae Annie'n rhoi pwysau ar Isaac i drafod 'busnes yr arian'. Mae ei ateb yn un ffyrnig.

– Ma' Ifan ar 'i wely ange, a tithe isie trafod 'busnes yr arian!'

– Ond yr ewyllys . . . Ma' hi'n naturiol i ni ddechre meddwl . . .

– Dyw e ddim wedi marw 'to! Jawch eriôd, o'n i'n gwbod bo' ti'n fenyw galed, Annie! Ond ddychmyges i erioed . . .

– Dere nawr, Isaac . . .

– *Ddylen* i fod yn dy nabod di, hefyd, a ninne'n briod ers deng mlynedd ar hugen – gwaetha'r modd!

*

Mae Esther yn eistedd ar y sgiw, yn cywiro sanau. Gall glywed chwyrnu ysgafn Ifan yn y parlwr, ac ochneidia mewn rhyddhad. Bu'r oriau o boeni amdano'r prynhawn yma'n llethol, yr un mor llethol â'r rhyddhad o weld Luther yn ei wthio yn y *bath-chair* ar draws y clos yn jocôs reit am saith o'r gloch y nos.

Roedd yn cysgu'n sownd bryd hynny, a chysgu a wna eto, yn hollol anwybodol sownd, fel babi bach. Gwyn ei fyd e. Gwyn fyd y sawl na ŵyr y gofid y mae'n ei achosi i bobol eraill. Gwyn fyd yr hwn nad yw'n cofio'i eiriau milain.

*

Mae'r Parchedig William Jones yn ei stydi, wrth ei ddesg, yn ysgrifennu llythyr yng ngolau lamp.

– 'Annwyl Hannah,

Mi welis i'r ffilm yn y sinema heno. Roedd hi'n wych, ac mi ddaru mi fwynhau dy berfformiad di'n fawr. Mi oedd pawb yn canmol i'r cymyla . . .'

Mae ei law'n hofran am rai eiliadau, cyn gosod ei bìn sgrifennu'n ofalus ar y ddesg. Ac yna fe afaela yn y papur a'i rwygo'n ddarnau a'u taflu i'r fasged sbwriel. A chychwyn eto.

– 'Annwyl Hannah,

Mae'n rhaid i mi sgwennu atat. Wn i ddim a gei di'r llythyr yma. Ond mi faswn i'n hoffi i ti wybod 'mod i'n meddwl amdanat. Newydd dy weld di mewn ffilm yn y sinema yn Leicester Square, a waeth i mi gyfaddef, mi ddaru mi gael sgytwad go hegar wrth dy weld di . . .

Hannah fach, ble wyt ti? Mi hoffwn i, â'm holl galon, dy weld di. Ond y cyfan dwi isio'i wybod ydy dy fod ti'n iach ac yn hapus. O, ble wyt ti, Hannah fach? A ble fuost ti'r holl flynyddoedd yma?'

*

Mae golwg drychiolaeth ar Ifan. Mae Esther newydd ruthro i mewn i'r parlwr ar ôl ei glywed yn gweiddi arni fel dyn gwyllt.

– Esther! Ma'r diafol wedi 'nala i!

Yr un hen hunllef nosweithiol. Yr un hen ateb . . .

– Dychmygu wyt ti, Ifan . . .

– Nage! Esther, wy 'di pechu! A ma'r diafol ar 'y nghefen i!

– Ifan, do's dim dyn mwy gonest wedi cerdded yr hen ddaear 'ma!

– Byw celwydd! 'Na beth odw i 'di neud!

– Ond fydd Duw yn deall am Ifan Bach. Fydd Duw yn madde.

– Na! Ma 'na rwbeth gwa'th! Rhwbeth llawer gwa'th!

Mae ei law esgyrnog yn gwasgu ei llaw hithau nes ei brifo.

– Ond, Esther, cofia hyn. Drw'r cwbwl, cofia hyn. Cofia bo' fi'n dy garu di!

– A chofia bo' fi'n dy garu dithe . . . Nos da nawr.

Y geiriau olaf rhwng dau a fu'n rhannu deng mlynedd ar hugain a mwy.

*

– Ma' Dat lan yn y nefo'dd erbyn hyn. Ddath yr angylion i'w moyn e nithwr.

– Wyt ti'n siŵr 'i fod e yn y nefodd?

– Odw glei! Ma' pobol fel fe'n mynd 'na'n strêt. Pobol dda – gweinidogion a blaenoried, pobol sy'n bihafio.

O enau plant bychain . . . Ac mae gallu diwinyddol ac athronyddol Ifan Bach yn syfrdanu Defi Oernant.

– 'Na pam na ei di byth i'r nefo'dd, Defi bach. Ti'n grwtyn rhy ddrwg.

– Nagw i!

– O wyt! A ti'n gwbod le ma' cryts drwg yn mynd?

Mae'r pen yn ysgwyd o ochor i ochor yn araf, a'r llygaid llo bach fel soseri wrth i Ifan Bach bwyntio'i fawd i lawr at y ddaear a sibrwd yn ddifrifol:

– Lawr fan'na, at y DIAFOL!

Tawelwch llethol, a'r Oernant yn llygadu'r ddaear fel petai'n disgwyl iddo agor unrhyw eiliad i ddatgelu ellyllon y Fall. Ond fe ddaw achubiaeth yn sŵn chwibanu ysgafn, a ffon yn tap-tapian ar hyd y lôn.

– Shwt y'ch chi heddi, bois bach? Pam nag y'ch chi yn yr ysgol?

– Am bo' tad Ifan Bach wedi mynd i'r nefodd. Dda'th yr angylion i'w moyn e nithwr.

– Bachgen, bachgen . . .

Mae Luther yn edrych draw at y tŷ. Mae'r llenni wedi'u tynnu a does dim sôn am yr un enaid byw. Ochenaid ddofn, ac mae Luther yn tynnu'i het.

– Yr hen Ifan . . . Ond gwyn 'i fyd e, Ifan Bach. A chofia 'i fod e 'i hunan yn un o'r angylion . . .

Ar ôl ysgwyd llaw ag Ifan Bach, ac yna gyda Defi, mae Luther yn brasgamu at y tŷ.

*

Dridiau'n ddiweddarach, mae'r festri'n orlawn o alarwyr – ac ambell ddieithryn llwyr – sy'n manteisio ar haelioni diarhebol y chwiorydd. Cacennau, bara menyn, jam, caws a ham ar y bordydd; lleisiau isel yn gymysg â thincial llestri te; a'r ystrydebau cysurlon yn hofran gyda'r camffor.

Llwyddodd Ifan Bach i osgoi eistedd gyda'i gefndryd Llundain. Esther sydd ar y chwith iddo, Martha ar y dde, a Rhys a Marged Ann gyferbyn iddo. Mae Alun ac Edwin draw ym mhen draw'r ford, diolch byth. Sylla Ifan Bach ar y rhesi o wynebau wrth lwytho'i geg. Mae rhai'n gyfarwydd, a rhai'n hollol ddierth. Ond mae pawb fel petaen nhw'n ei drafod, yn edrych arno bob hyn a hyn, yn siglo'u pennau'n ddwys ac yn sibrwd pethau fel 'Tr'eni mowr' a 'Druan bach ag e'. Dyw e ddim yn sylwi ar y tensiwn amlwg sydd rhwng ambell un o'r teulu. Dyw e ddim yn gweld ambell edrychiad od rhwng ambell un. A dyw e ddim yn gweld Enoc yn gwgu ar Robert Roberts sy'n eistedd gyda Grace draw wrth y drws. Fe groesa feddwl Ifan Bach pam nad ydyn nhw'n eistedd gyda gweddill y teulu, ond dyw e ddim yn meddwl gormod ynglŷn â'r peth.

Fe glyw Annie'n achwyn bod y Feathers yn lle drud i aros; fe glyw Esther yn holi'r Parchedig William Jones sut mae Hannah, ac yntau'n ateb ei bod yn 'teithio'r byd'; fe glyw pobol yn dymuno 'priodas dda' i Jane ac yn holi ble mae Emlyn; fe glyw hi'n ateb nad oedd e'n teimlo'n ddigon da i fentro dod yn gwmni iddi; ac fe glyw Lizzie'n rhoi pryd o dafod i Edwin am golli jam ar draws ei grys. A gwena'n llawn boddhad . . .

Llwydda i berswadio Esther ei fod bron â marw isie pisho, ac aiff am y drws. Mae Mister Williams y scwlmishtir yn gafael yn ei fraich ac yn troi at Robert.

– Doctor Roberts, dyma grwt sy'n mynd i fynd ymhell. Disgw'l pethe mowr 'da fe ar ôl paso'r *Scholarship*. On'd y'n ni, Ifan Bach?

Gwên boléit ac mae Ifan wedi mynd, felly dyw e ddim yn clywed Grace yn sibrwd yng nghlust ei gŵr:

– Hapus nawr?

– Be 'dach chi'n feddwl?

– 'Na pam o'ch chi isie dod 'ma, ontefe? Mentro i ffau'r llewod er mwyn 'i weld e.

Dyw Robert ddim yn ei hateb. Ond fe sylwa ar Jane yn mynd allan ar ôl Ifan Bach.

Fe sylwa Esther hefyd.

*

Fe sylwa Isaac Cohen ar Dan yn rhoi'r arwydd *Closed* ar ddrws siop y Dairy.

– *Daniel, why are you closing so early?*

– *Out of respect for my Uncle Ifan.*

– *Ah! Your heart is in the hills of Wales, my friend. 'By the rivers of Babylon, there we sat down. Yeah, we wept, when we remembered Zion.' Peace be with you, Daniel.*

Mae Dan yn aros nes bod yr Iddew wedi mynd i mewn i'w siop cyn sibrwd ei ymateb i'w gyfarchiad.

– *And to you – my friend!*

Gwên ryfedd sydd ar ei wyneb wrth ddringo i mewn i'w dacsi.

*

Mae Jane ac Ifan Bach yn y fynwent, yn syllu ar bentwr o bridd.

– Jane . . .

– Ie?

– 'Sdim tad 'da fi nawr . . .

Mae Jane yn rhoi cusan ar ei foch. Ychydig a ŵyr y ddau fod Robert Roberts yn eu gwylio o'r glwyd. Ychydig a ŵyr yntau fod Esther yn eu gwylio nhw i gyd . . .

*

Roedd dod i mewn i'r Wembley Studios yn haws nag oedd Dan wedi'i ddychmygu. Dim ond gweiddi '*Taxi for Miss Anna Johnson*', cael *pass* swyddogol yn ei law, a dyma fe yn Studio Three, yng nghanol ymarfer ar gyfer *Revenge at the Ritz*. Mae

Evelyn, *alias* Anna Johnson, yn gorwedd ar wely mawr sydd wedi'i amgylchynu â llenni ysgafn. Mae hi'n gwenu'n awgrymog ar ddyn golygus mewn *tuxedo,* gan godi godrau'r *evening gown* ddu sydd amdani dros ei phenliniau.

– *Geoffrey, darling, if you don't do as you are told, I shall have to punish you!*

– *No, please don't do that, Evelyn!*

– *Well be a good boy, and light me a cigarette.*

Mae'r *tuxedo'n* ufuddhau ac fe chwytha hithau fwg i'w wyneb yn chwareus.

– *Cut! Ten minute break until we start again!*

Wrth i'r criw wasgaru, mae Dan yn sgrifennu rhywbeth ar gefn y *pass* ac yn ei roi i un o'r llu llawforynion sydd gan Anna Johnson. Cyn iddi adael y set mae'r actores enwog wedi darllen y neges, wedi gwenu ac wedi rhoi gorchymyn i yrru'r gyrrwr tacsi ati i'w hystafell wisgo.

Ac yno, o flaen ei drych, mae hi'n gwenu eto.

– Wel, Daniel Jenkins bach, dyma beth *ydi* syrpreis!

– Ar ôl yr holl flynydde, ife?

– Ia wir! Hogan fach ifanc iawn o'n i pan ddaru ni gwrdd ddiwetha. Ifanc a dibrofiad . . .

– Fe helpes i roi bach o hwnnw i ti, on'dofe?

– O do! Ond beth am ddathlu? Diferyn bach o *Chablis*?

– Pam lai?

Mae hi'n tynnu potel allan o fwced iâ, yn arllwys gwin i wydr ac yn ei roi iddo.

– I'r dyddia da, yntê Daniel?

– I'r dyddie da . . . Jawch, fe gelon ni lot o sbort 'da'n gilydd, ti a fi.

Mae hi'n dechrau brwsio'i gwallt ac mae Dan yn ei llygadu'n llawn edmygedd yn y drych.

– Rhyw feddwl o'n i . . .

– Ia?

– Wel, y gallen ni ga'l tipyn *mwy* o sbort. Os wyt ti'n deall beth s'da fi . . .

– Ydw, dwi'n meddwl 'y mod i.

Mae hi'n gwenu arno yn y drych.

– Wel, beth am drefnu?

Yn sydyn mae hi'n troi ato, ei llygaid yn fflachio'n ddu.

– Iawn! Beth am ymosod arna i ar *chaise longue* y Mans? Neu beth am garu'n wyllt yn y llwyni yn Hyde Park?

– Whare plant o'dd hynny.

– Yn hollol. Ond tydan ni ddim yn blant ddim mwy. Tydw i ddim yn hogan fach ddiniwad y medri di chwara efo hi. Felly dos o 'ma! A dos i Uffarn!

Cyn i Dan gael cyfle i ddweud dim mwy mae hi'n gweiddi 'Larry!' a daw dyn sy'n debyg i hipopotamws i mewn a sefyll yno'n ddisgwylgar.

– Hannah, pam wyt ti'n neud hyn?

– Hannah? Pwy 'di hi? Anna Johnson ydw i. *Larry darling, my friend – my old friend – wishes to leave . . .*

Mae Larry'n gafael yn y gwydraid gwin ac yn ei osod i lawr yn ofalus. Yna fe afaela yn Dan gerfydd ei war a'i wthio allan drwy'r drws. Mae sŵn ei brotest yn atseinio ar hyd y coridor . . .

Mae Anna'n agor drôr, yn tynnu llythyr ohono ac yn darllen y geiriau 'Ble wyt ti, Hannah fach?'

*

Mae'r hen bobol yn y gegin dywyll, yn yfed te ac yn trafod pethau diflas fel y gwna hen bobol. Yn y cae-bach-dan-tŷ y mae'r plant – bois y wlad a bois y dre. Bois y wlad sydd ar y blaen, Ifan Bach yw bòs y gêm a Defi Oernant ei *second-in-command.*

Neidio o ben y wal yw'r gamp, a phwy fydd yn neidio bellaf fydd y pencampwr. Mae manteision amlwg gan fois y wlad – nhw sy'n gosod y rheolau, maen nhw'n hŷn ac yn fwy na bois y dre, maen nhw ar dir cyfarwydd iawn, a chan eu bod nhw wedi newid i'w dillad chwarae, maen nhw'n llawer mwy rhydd na dau sy'n gaeth i'w dillad gorau. Mae Ifan Bach yn gweiddi:

– Reit 'te, Defi! Jwmpa!

Mae Defi Oernant yn neidio'n uchel ac yn bell – ond heb fod cyn uched na chyn belled ag Ifan Bach, sydd wedi marcio ôl ei draed â darn o frigyn.

– Fi sy ar y bla'n o hyd! Nawrte, dy dro di, Edwin!

Dyw Edwin ddim yn hoffi'r gêm. Mae'r cwymp yn galed, a'r record yn amhosib ei thorri. Byddai'n well ganddo ddarllen llyfr o dan gysgod y goeden mwnci, neu chwarae gêm o griced, er ei fod yn siŵr y byddai Ifan Bach yn trefnu mai bois y wlad fyddai'n ennill honno hefyd. Mae golwg bryderus arno wrth ddringo i ben y wal a sefyll yno gan lygadu'r dwnshwn mawr o'i flaen yn union fel petai'n sefyll ar grocbren â rhaff am ei wddw.

– Jwmpa!

Mae Edwin yn llygadu'i frawd sy'n ysgwyd ei ben arno'n ddigalon. Mae'n rhaid i Ifan Bach ymyrryd er mwyn cael trefn ar bethau.

– Olreit, fe 'newn ni hi'n haws i ti. Symud draw i fan'na . . .

Mae Edwin yn ufuddhau ac yn symud dwy lathen draw i'r chwith.

– Nawrte, fe gei di jwmpo lawr i'r borfa 'na. Ma' fe'n feddal neis.

Dyw bois y dref ddim yn gweld Ifan Bach yn rhoi winc ar Defi Oernant. Dy'n nhw ddim yn gweld hwnnw'n rhoi ei law dros ei geg er mwyn atal y chwerthin. Y cyfan a wêl Alun yw ei frawd mawr ar ben wal fawr a dibyn mawr o'i flaen. Y cyfan a wêl Edwin yw'r dibyn mawr.

– Dere! Jwmpa 'achan!

Ac mae Edwin yn neidio. Mae Edwin yn neidio'n uchel ac yn bell – i ganol darn o gors. Yn anffodus iddo fe, ac i'r tri arall, ac Ifan Bach yn enwedig, fe lania hyd at ei bengliniau mewn mwd corslyd ar yr union adeg y daw ei fam o'r tŷ i chwilio amdanyn nhw. Mae bois y dre'n awyddus i'w hargyhoeddi hi ar unwaith mai bai Ifan Bach yw'r cyfan. Ond ofer eu protestio. Clatshys caled ar eu coesau, ac un galed ychwanegol ar goes Edwin, ac mae'r ddau'n cael eu llusgo at y pwmp dŵr. Mae Ifan Bach yn gonsyrnol iawn am ei gefndryd bach.

– Wedon ni wrthyn nhw am fod yn ofalus. 'Na fe, beth newch chi â phlant y dre?

Mae Lizzie'n rhy brysur yn sgwrio coesau ei meibion afradlon o dan y pwmp i ymateb i'w gwestiwn. Ond mae Luther wedi ymddangos o rywle, ac yn cribo'i fysedd drwy ei farf yn chwareus.

– Beth newn ni â phlant y dre, Ifan Bach? Weda i wrthot ti – 'u trin nhw fel licen ni'n hunen ga'l 'yn trin. Ontefe?

Winc ar Ifan Bach, sy'n gostwng ei lygaid yn sydyn at y garreg y mae'n ei chicio.

– Ontefe, Oernant?

Mae Defi'n sibrwd 'Ie'.

Roedd y plant yn iawn. Hen bethau diflas sy'n cael eu trafod yn y gegin. Ac maen nhw'n diflasu wrth yr eiliad. Erbyn hyn mae Ifan Bach yn eistedd gyda'r gweddill – Esther, Isaac, John, Jane, Martha a Marged Ann – wrth y ford, a Williams y scwlmishtir yng nghadair dderw Ifan, ar y pen. Fe gyrhaeddodd yn lwmpyn o bwysigrwydd, a phan ofynnodd Ifan Bach i Luther beth, tybed, oedd ei neges, fe gafodd ateb swta.

– Busnes, Ifan Bach. Busnes pobol fowr . . .

Y 'busnes' yw darllen ewyllys Ifan Jenkins. Ac erbyn i Williams ddarllen ei hanner hi, mae'r 'busnes' wedi troi'n chwerw iawn. Mae'r plant i gyd, gan gynnwys Ifan Bach, i gael hanner canpunt yr un. Mae Esther i gael traean o werth Ffynnon Oer.

A bu distawrwydd . . .

Gwna Williams y penderfyniad call i ymadael ar unwaith. Rhwng teulu Ffynnon Oer a'u cawdel.

A chawdel yw cyfrinach fawr Ifan Jenkins. Iddo fe ac Isaac a Katie eu chwaer y gadawyd y cyfan yn ewyllys eu tad, Morgan Jenkins. A nawr, Isaac, Esther a Robert – hwnnw, o bawb! – yw'r perchenogion newydd. A doedd Esther ddim yn gwybod am y trefniant. Da iawn, Ifan, da iawn Isaac a Robert, am beidio â sôn yr un gair.

Siom a dryswch a dannod. Holi a chyhuddo. Pam na ddywedodd Ifan wrthi? Fydd neb byth yn gwybod yr ateb. Pam na fyddai'r lleill wedi dweud? Am nad oedd ganddyn nhw'r hawl. Beth fydd yn digwydd nawr? Gwerthu Ffynnon Oer. Chwalu'r cyfan. A Rhys a Martha wedi rhoi eu cyfan ers deng mlynedd? Does dim dewis. A does dim brys i dalu'i siâr iddo, meddai Isaac. Ac mae'n siŵr mai dyna fydd agwedd Robert hefyd.

– A licen i weud hyn, Esther. Ma'n ddrwg calon 'da fi.

Mae hi'n ddrwg gan bawb.

*

Mae hi'n hwyr yn y nos, ac mae 'na bwyllgor yn y sgubor. Mae'r lamp olew yn taflu golau gwan dros saith o bobol, pump yn eistedd ar focsys a sachau a stolion godro, un ar ei draed – ac un yn cysgu'n sownd ar wely rebel Luther.

Rhys sydd ar ei draed, yn cerdded yn ôl ac ymlaen wrth siarad, ei siom a'i surni yn amlwg yn ei wyneb ac yn ei holl osgo. Deng mlynedd o gaethwasiaeth. Dim cyflog, a fawr o ddiolch am ei lafur cariad. A dim byd i ddangos amdano yn y diwedd. Dim ceiniog o werthfawrogiad gan Ifan am waith deng mlynedd ar y fferm, nac am fisoedd hir a chaled o'i dendio a'i nyrsio, o'i olchi a'i newid a'i fwydo, ei osod ar y *commode* a sychu'i ben-ôl. Dim arwydd o ddiolch am fod yn ffrind iddo, yn glust i'w bryderon. A dim cydnabyddiaeth am orfod dioddef, yn y diwedd, ei dafod miniog.

Mae siom John yn amlwg hefyd, ond dyw e ddim yn yngan gair. Fe gafodd e a Lizzie ffrae ac fe ddywedwyd pethau mawr, pethau y maen nhw ill dau'n eu difaru. Ei ewythrod slei oedd yn ei chael hi ganddo, am gelu'r gwir, nes i Lizzie ei atgoffa mai ei dad oedd y dihiryn am dwyllo'i wraig a'i blant. Ond yr hyn a'i frifodd fwyaf oedd ei hymateb i'w gŵyn nad oedd ganddo, bellach, ddim. Dim byd yn Llundain, a nawr dim byd yn Ffynnon Oer. Daeth diwedd ar ei freuddwyd o ffermio Ffynnon Oer. Ond fe gafodd wybod gan Lizzie ei fod yn lwmp hunanol, hunandosturiol, ac fe'i atgoffodd bod ganddi hithau, hefyd, freuddwyd, a'i bod, rhyw ddiwrnod, yn mynd i'w wireddu.

Mae Jane hefyd yn dawel. Y geiriau 'Fydda' i ddim yn dŵad efo ti i'r c'nebrwng. Dos di ar dy ben dy hun' sy'n llenwi ei phen. Mae ei siom yn Emlyn, ei hiraeth amdano, a'i chariad tuag ato, er gwaethaf popeth, yn drech na'r siom a gafodd heddiw.

Yn ei byd bach ei hunan mae Marged Ann, fel arfer, a'i hiraeth am ei thad yn drech na phopeth.

Lizzie a Martha sydd fwyaf huawdl, Lizzie'n taranu ynglŷn ag annhegwch y sefyllfa, a Martha, fel arfer, yn gwrthod ildio, yn gwrthod plygu i'r drefn. Mae hi'n brysur yn sgrifennu rhyw ffigurau ar ddarn o bapur. Ac yna mae hi'n llygadu'r lleill yn llawn her.

– Plîs newch chi stopo achwyn? Codi blwmin pais yw

dannod a beio a chwmpo mas! Nawrte, gwedwch wrtha i, beth yw gwerth y lle 'ma?

Maen nhw i gyd, heblaw am Marged, yn sylweddoli pwrpas ei chwestiwn. Eiliadau o syllu ar ei gilydd, ac mae Rhys yn ateb:

– Fe a'th Cae Glas am bymtheg cant.

Mwy o sgrifennu ffigurau a chrychu talcen a chnoi ar ei phensil cyn gwenu'n fuddugoliaethus.

– Ma'n rhaid i ni ffindo mil o bunne. Pum cant yr un i'r ddou wncwl! Ma' dou gant a hanner 'da ni'n barod, dim ond i ni i gyd roi'n siâr.

Mae pump o wynebau'n syllu'n anghrediniol arni.

– John? Jane? Dewch! Ma' 'bach wrth gefen 'da Rhys a fi. A Mam hefyd – a wy'n siŵr y bydd Wncwl Enoc isie helpu . . .

John sy'n torri ar y distawrwydd . . .

– Gan bwyll nawr, Martha . . . Wyt ti'n sôn am brynu siâr y ddou wncwl?

– Wrth gwrs bo' fi!

– Gan ddefnyddio'n siâr ni i gyd.

– Yn gwmws.

– Fydde hynny'n gadel saith cant a hanner.

– Alla i byth â rhoi dim.

Ar ôl dweud y peth yn swta mae Jane yn gobeithio na fydd Martha'n gofyn 'Pam?' Nid nawr yw'r amser i egluro y bydd angen pob ceiniog arni os bydd Emlyn yn ei gadael.

– Pam, Jane?

– Alla i ddim! 'Na pam!

– Na finne, chwaith.

Mae John yn codi ac yn mynd allan cyn i Martha ofyn yr un cwestiwn iddo fe. Ac mae Lizzie'n ei ddilyn.

– Wel, Marged, beth amdanat ti? Wyt ti isie arbed Ffynnon Oer rhag ca'l 'i gwerthu?

– Odw, glei!

– Reit 'te, Ifan Bach! Dihuna!

Dyw meddwl rhywun ddim yn glir yn syth ar ôl cael ei ysgwyd a'i ddihuno o drymgwsg. Ond meddwl clir neu beidio, mae Ifan Bach yn cytuno nad yw am weld gwerthu Ffynnon Oer.

*

Yn y cyfamser mae Esther yn eistedd yn y gegin, yn siglo'n araf ac yn syllu i'r tân. Mae ganddi lun mewn ffrâm yn ei chôl, llun ohoni hi ac Ifan ar ddiwrnod bedydd Ifan Bach, llun a dynnwyd yn yr ardd ar ddiwrnod braf o haf. Mae Ifan yn sefyll yn dalsyth y tu cefn iddi, a hithau'n eistedd ar gadair. Maen nhw'n bâr hardd. Mae Esther yn rhwbio'i bys yn ysgafn dros y ffrâm, dros wyneb difrifol Ifan, yr wyneb cyfarwydd. Dyma'r dyn y bu'n rhannu ei bywyd ag e am dros ddeng mlynedd ar hugain.

Am dros ddeng mlynedd ar hugain bu'n briod â dieithryn celwyddog.

*

Ac yn lolfa'r Feathers, yng nghwmni'i wraig a Grace a Robert a William Jones, mae Isaac yn gwneud ffŵl ohono'i hunan. Mae llyncu brandi ar ôl brandi'n ffordd ardderchog o ddathlu'i gyfoeth arfaethedig.

– Iechyd da i ti'r hen Ifan! Yr un 'diragrith, digelwydd, cymwynaswr mawr yr ardal, un o bileri'r achos'. 'Na beth alwoch chi fe'r prynhawn 'ma, ontefe, Mr Jones? Wel, dewch i ni ga'l un ne' ddou o bethe'n strêt. Boi bach gwan fuodd Ifan Jenkins, Ffynnon Oer, erioed. Dim asgwrn cefen . . .

Mae'r pedwar arall yn sylweddoli eironi'r hyn y mae Isaac newydd ei ddweud. Ac mae William Jones wedi cael hen ddigon. Does dim amdani ond ffarwelio a mynd i'r gwely.

– Jawl, beth sy'n bod ar y dyn? A chithe'ch dou – Robert . . . Grace . . . Pam y'ch chi'n edrych mor sychdduwiol arna i? Gwed wrthyn nhw, Annie! Gwed wrth dy whâr a dy frawd-yng-nghyfreth am ddathlu 'da fi!

– Ti wedi ca'l hen ddigon, Isaac.

– Hen ddigon? Wy ddim 'di ca'l hanner digon! A ta beth, 'sdim digon 'i ga'l ar ddwyrnod fel heddi!

– Digon i'r diwrnod ei ddrwg ei hun, Isaac.

– Dere nawr, Robert! Dim bob dydd ma' dyn yn ca'l gwbod yn swyddogol bod arian mowr yn dod iddo fe! Pidwch chi â chymryd sylw o Annie, gyfeillion. Wy'n gwbod beth ma' hi'n 'i gredu. Y bydda i'n yfed yr arian i gyd. Yn hala'r cwbwl fel dŵr. Ond 'sdim isie i ti fecso, Annie fach; ma' hi'n iawn i roi dŵr ar ben lla'th, ond 'sdim isie dŵr yn agos i frandi!

Mae Robert hefyd wedi cael hen ddigon. Ar ôl sibrwd yng nghlust ei wraig, mae e'n codi ac yn mynd allan drwy ddrws y gwesty. Mae arno angen chwa o awyr iach.

*

Ymunodd Esther â'r pwyllgor erbyn hyn. Maen nhw i gyd yn y gegin, Esther yn siglo yn ei chadair, y merched ac Ifan Bach yn eistedd wrth y ford, a Rhys a John yn sefyll yr un mor anniddig ag yr oedden nhw yn y sgubor. Mae Ifan Bach â'i ben yn pwyso ar ei freichiau ar y ford, yn gysglyd iawn er gwaetha'i gyntun yn y sgubor. Ond mae hi'n bwysig bod pob aelod o'r pwyllgor, hepian neu beidio, yn bresennol. Martha sy'n annerch.

– Ma'n nhw wedi gofyn i fi siarad drostyn nhw. Y'n ni i gyd isie i chi wbod bod yn ddrwg 'da ni am fusnes yr ewyllys. O'n i wedi meddwl falle y bydden ni'n gallu towlu tamed o oleuni ar bethe erbyn heno. Ond – 'na fe, 'sdim byd i neud.

Tawelwch llethol heb ddim ond y cloc yn tician.

– Ond licen i chi i wbod – y'ch chi'n mynd i ga'l hanner canpunt yr un 'da Marged, Ifan Bach a finne.

Mae llygaid Esther yn dweud y cyfan. Ond cyn iddi allu diolch mae Jane yn sibrwd:

– A 'da finne . . .

Un edrychiad sydyn rhwng John a Lizzie ac mae John yn dweud 'A 'da finne' yn gadarn ac yn glir. Ac mae Martha'n codi ac yn cofleidio'i mam.

– Dou gan punt a hanner, Mam. Dim hanner digon . . .

Mae Esther yn ei chael hi'n anodd i ddweud dim.

– Ma' fe'n fwy na digon, er na fydd e'n arbed Ffynnon Oer. Ac y'ch chi i gyd yn werth y byd . . .

Mae hi'n anodd credu, ond y funud honno y daw gwaredigaeth ar ffurf sŵn yn car yn cyrraedd y clos a chnoc ar y drws. Mae hi'n anodd credu mai Jane, o bawb, sy'n ei ateb, ac yn gweld ei hewyrth, ei chyn-gariad a thad ei phlentyn, yn sefyll yno ac yn gofyn am gael siarad â'i mam. Mae hi'n anodd credu beth yw ei neges . . .

*

Mae Ifan Bach yn sefyll wrth ffenest ei stafell wely, yn edrych allan dros y clos, ac yn gweld Esther a Robert yn sefyll wrth y motor car crand. Mae hi'n amlwg eu bod yn trafod rhywbeth yn frwd. Dyw e ddim yn gallu clywed yr hyn sy'n cael ei ddweud. Gorau oll, oherwydd dyfodol Ifan Bach yw craidd yr hyn sy'n cael ei ddweud.

– Esther, dwi am i chi gadw fy nghyfran i o bres Ffynnon Oer. Fi, hefyd, fydd yn talu cyfran Isaac iddo fo. Ond mae 'na amod.

A heb glywed beth yw'r amod bellgyrhaeddol honno, mae Ifan Bach yn troi ac yn suddo i'w wely plu.

GORFFENNAF, 1932

Toriad gwawr yn Acton Street. Mae'r cyfan yn digwydd mor sydyn. Cysgodion yn hofran wrth ddrws siop Isaac Cohen. Peipen yn cael ei gwthio drwy'r twll llythyron. Sŵn hylif yn cael ei arllwys drwyddi ac yn tasgu dros y llawr. Matsien yn cael ei thanio a'i thaflu drwy'r twll. Ffrwydrad anferthol. A dau ddyn yn rhedeg i lawr y stryd, yn cael eu dal yng ngoleuadau lorri'r Great Western Dairies cyn diflannu i'r gwyll.

Mae John yn rhuthro o'r lorri at y gwacter eirias a oedd, hanner munud yn ôl, yn gyntedd siop, gan weiddi enw Cohen. Ond does dim i'w weld ond wal o fflamau, dim byd i'w glywed ond eu sŵn dychrynllyd, sŵn fel storom enbyd ar y môr. Mae John yn tynnu'i siaced, yn ei rhoi dros ei ben, yn codi ei ddwylo dros ei wyneb ac yn rhedeg i mewn i'r fflamau . . .

*

Dyma ddiwrnod canlyniadau'r *Scholarship*, ac mae Ifan Bach ar bigau'r drain wrth gyrraedd yr ysgol gydag Esther. Mae ei fola'n corddi, yn union fel y corddai'r bore hwnnw dri mis yn ôl pan eisteddodd i wynebu'r papur gwag oedd ar y ddesg. Chwech ohonyn nhw o Ysgol Brynarfor yn eistedd yng nghanol rhesi o blant yr ardal yn neuadd *The Aberayron County School*, yn barod i selio'u ffawd. Pasio'r *Scholarship* a mynd i'r *County School* ac ymlaen efallai i addysg bellach a dyfodol disglair; neu ddioddef stigma'r '*fail*' a wynebu dyfodol hollol ddiddyfodol fel methiannau academaidd.

Fe gafodd fwynhad o weld Benji Pen-parc yn cael ei symud yn ddiseremoni i eistedd yn y blaen. Dyna chwalu cynllun y twpsyn i eistedd y tu ôl iddo a'i gicio bob tro y byddai am gael copïo'i atebion. Ac yna'r gorchymyn '*Turn your papers over*', ac oriau o *arithmetic* ac *English Comprehension* a Darllen a Deall Cymraeg yn ymestyn o'u blaenau.

Un peth da ynglŷn â'r diwrnod oedd yr holl gyfarchion ac anrhegion a dderbyniodd. Carden fach *Good Luck* a llun pedol arni gan Esther a Marged Ann, pedol go iawn gan Rhys, pren mesur newydd gan Martha a chês pensil gan Enoc. Ac mae'r arian a gafodd gan berthnasau Llundain – chwe cheiniog lwcus gan John a Lizzie, swllt gan Isaac ac Annie, hanner coron gan Jane ac Emlyn a phapur punt gan Robert a Grace – yn saff yn ei focs cynilo o hyd. Bydd gofyn prynu dillad i fynd i'r *County School* – mae *satchel* ledr fawr yn disgwyl amdano'n barod yn siop Ianto'r crydd. Dim ond iddo lwyddo . . .

A dyma'r dydd o brysur bwyso wedi cyrraedd. Cafwyd gorchymyn gan Williams y scwlmishtir i gyrraedd yr ysgol erbyn deg, ac mae chwech o blant, a phump o famau disgwylgar, yn gwrando arno'n traethu. Ar ei ben ei hunan y mae Benji Pen-parc.

– Wel, dyma *results* y *Scholarship* yn Ysgol Brynarfor eleni, mewn *alphabetical order* . . .

Rhoi ei sbectol fach gron ar ei drwyn, peswch, a darllen y rhestr sydd yn ei law.

– Mair Elizabeth Davies – *pass*; William John Evans – *fail*; Benjamin Griffiths – *fail*; Morfydd Ann Hughes – *pass*; Ifan Enoc Jenkins – *pass*; Morlais Gwyn Morgan – *fail*.

Yn ôl trefn y fath system gystadleuol, mae'r rhai llwyddiannus yn gorfoleddu a'r rhai sydd wedi methu yn teimlo i'r byw. Ond y cyfan a wna Benjamin Griffiths, Pen-parc, yw codi'i ysgwyddau llydan mewn ystum o ''sdim diawl o ots 'da fi', a diflannu allan i'r haul. Dod drwyddi, er gwaethaf pawb a phopeth, yw uchelgais syml hwnnw. Dyna fydd ei nod weddill ei fywyd, druan.

Yng nghanol y cydlawenhau neu'r cydymdeimlo, mae Williams yn awyddus i gyfleu'r newyddion gwych sydd ganddo – newyddion a fydd yn fodd i leddfu'r gnoc mai tri o'r chwech a lwyddodd.

– Mae hi'n bleser ac yn anrhydedd 'da fi i gyhoeddi mai un o blant Brynarfor a ddaeth yn dop y list dros Shir Aberteifi i gyd . . .

Cipolwg foddhaus dros ei sbectol ar yr wynebau disgwylgar.

– Top y list drw'r shir i gyd yw – Ifan Enoc Jenkins, Ffynnon Oer! Dyma grwt sy'n gredit i ni i gyd!

Mae hi'n anodd dewis pa un o'r ddau, Esther neu Ifan Bach, sydd fwyaf balch. Esther efallai, o drwch blewyn.

*

Mae Emlyn wedi dweud wrth y forwyn am fynd. Fe welodd hi ormod yn barod. Ei meistres yn gorwedd yn swrth yn ei gwely, y gwely nad yw'n ei rannu gyda'i gŵr, yn gwrthod ymateb i'w gŵr, ac yn syllu'n wag arno. Ac yntau'n methu dweud na gwneud fawr ddim. Ond a'r ddau bellach ar eu pennau eu hunain, gall fynegi ei ddicter mewn ffordd ymarferol iawn, sef gafael ynddi, ei chodi ar ei heistedd a gwthio'r hambwrdd i lawr ar ei chôl.

– Rŵan, byta'r brecwast 'na! Dwi 'di cael digon ar dy lol di!

Dal i edrych arno â llygaid sy'n wag o deimlad a wna Jane. Ond mae hanner gwên ar ei hwyneb wrth siarad.

– Joiest ti nithwr? Wrth gwrs 'nest ti. O't ti mas tan yr orie mân . . .

Yn sydyn mae hi'n cicio'r hambwrdd nes bod y cyfan, y sudd oren a'r wyau a'r tost a'r te i gyd yn tasgu dros ddillad gwyn y gwely. Ac mae Emlyn yn ei tharo, unwaith, yn galed ar draws ei hwyneb.

– Yr ast fach! Mi wyt ti'n baeddu popeth, dwyt?

– Ac wyt tithe'n 'y nghasáu i! Fi ac Ifan Bach!

– Na, casáu'i dad o ydw i. Pwy bynnag ydi'r diawl . . .

*

Mae dau lythyr pwysig newydd gyrraedd – un i Dr Robert Roberts, M.D., M.R.C.S. yn Plas House, Maidenhead, a'r llall i'r Rev Luther Lewis, c/o Mr Enoc Thomas, Aeron Belle, North Rd., Aberayron.

Mae llythyr Robert yn ei wahodd ar ran Rhyddfrydwyr Sir Aberteifi i ystyried sefyll fel eu Haelod Seneddol yn sgil ymddeoliad Rhys Hopkin Morris. Ac mae'r gwahoddiad wrth fodd ei galon.

– Wel, Grace? Sut fasach chi'n licio bod yn wraig i M.P.?

– O's dewis 'da fi?

Ystyr y wên ar wyneb Robert yw 'Nagoes, cariad'. Ond fe lwydda i ddal ei dafod.

– Wel dyma beth ydi diwrnod! *Red Letter Day* go iawn! Finna ar fy ffordd i senedd Prydain Fawr, ac Ifan Bach yn cael canlyniada'r *Scholarship* ac ar ei ffordd i Kings College, London, ac yna, Oxford neu Cambridge!

Yng nghegin Aeron Belle fe dderbyniodd Luther lythyr sy'n ei wahodd i gyfweliad am swydd fel athro Lladin yn *Llandyssul County School*. Ar ôl ei longyfarch, er gwaethaf protestiadau huawdl y gŵr gwalltog, barfog ynglŷn â dyletswydd y cynghorwyr a'r llywodraethwyr 'i 'nghymryd i fel odw i, barf a mwng a chwbwl', fe fynnodd Enoc ei roi i eistedd ar stôl a thaenu lliain bord dros ei ysgwyddau.

– Wyt ti wedi colli dwy swydd yn barod, am bo' ti'n edrych fel trempyn!

– Trempyn *odw* i!

– Trempyn *o't* ti, gwboi!

Mae'r siswrn mawr yn nwylo Enoc yn fflachio snip-snip-snip wrth i'r gwallt brith syrthio'n gudynnau hir i'r llawr. Mwy o snipian ar y farf cyn plastro'i wyneb yn drwch o ewyn, crafu'r raser dros weddill y blewiach sydd ar ei ên, ac mae wyneb Luther yn gweld golau dydd am y tro cyntaf ers pymtheg mlynedd. Mae golwg gomic arno, ond dyw Enoc ddim yn dweud hynny.

– Bachgen, bachgen, Luther bach! Wyt ti'n ddyn newydd!

– Cer o 'ma a dy gellwer! Yr un hen Luther odw i, gobitho . . .

Chwarter awr yn ddiweddarach, mae Enoc yn honni ei fod yn gystal teiliwr ag yw o farbwr. Mae Luther yn sefyll mewn siwt frethyn lwyd, angladdol yr olwg, sy'n drewi o gamffor.

– Hon yw'r siwt gynta brynes i ar ôl dod 'nôl o'r môr.

Mae graen gweddol iddi ar ôl deng mlynedd, ond y broblem yw bod angen ''mystyn y trowser a'r llewys' a 'gwllwn y wast rhyw ddwy fodfedd'. A wedyn 'fe fydde'r ffit yn berffeth'. Ac mae'r ddau hen ffrind yn chwerthin nes eu bod yn corco.

*

Cael a chael fu hi. John yn ymbalfalu drwy'r mwg a'r fflamau ond yn gorfod ildio mewn byr o dro. Rhedeg allan a dringo dros y glwyd i'r iard a rownd i gefn y siop a gafael mewn pastwn a thorri ffenest a dringo drwyddi. Ac yno, yng nghanol mwrllwch myglyd, yn dod o hyd i'r hen Iddew yn gorwedd ar y llawr.

Dyw John ddim yn cofio am faint y bu'n ymdrechu i'w lusgo allan i'r iard. Cofia bwysau trwm, anhylaw corff yr hen ŵr; cofia'r gwres eirias yn llosgi ei lygaid a'i wyneb a'i ddwylo; cofia'r mwg yn ei ddallu, yn treiddio i'w lwnc a'i ysgyfaint nes gwneud anadlu'n artaith. Cofia feddwl ei fod yn boddi, yn boddi mewn môr o fwg, dan donnau o fwg, mewn bedd o fwg . . .

Ac yna, fel rhywun yn codi o ddyfnderoedd eithaf y môr, mae'r awyr iach yn ei fwrw. Ymladd am anadl, anadlu'n ddwfn, llyncu, llyncu eto ac eto ac eto – ac yna cyfogi.

Fe gofia weld rhywun yn cario'r hen Gohen i ambiwlans, a rhywun arall yn pwmpio dŵr i'r siop, a thyrfa'n sefyllian yn gegrwth. Fe gofia breichiau ei fodryb Annie amdano. Ac fe gofia suddo ar ei liniau i gyfogi llysnafedd du.

*

Ar gyrion eithaf Cae Pella mae Rhys yn taro'r ordd i'r pridd bas. Er bod tyllu'n anodd am fod y graig mor agos at yr wyneb, mae gofyn dyfalbarhau. Bu ambell ddafad yn ddigon ffôl yn ddiweddar i wthio o dan y ffens a syrthio lawr y dibyn i'r creigiau islaw. Dyma roi diwedd ar y dwli yna, drwy atgyfnerthu'r mannau gwan.

Mae chwys yn diferu ohono, yn llifo i lawr ei gefn gan wlychu'i grys yn sopen. Bu'n gweithio yma ers dros awr, ond does fawr o ôl ei lafur, dim ond dau bostyn newydd yn y ddaear yn barod ar gyfer y barb weier. Ergyd neu ddwy arall â'r ordd ac yna ochneidia a gwthio'i gap pig yn ôl o'i dalcen a syllu dros y môr.

A difaru'i enaid am fod mor siort wrth Mrs Jenkins gynnau. Ond â'r sefyllfa fel mae hi, does dim rhyfedd ei fod yn siort wrthi. Wedi'r cwbwl, mae 'na ben draw i amynedd dyn. Bron i flwyddyn wedi marwolaeth Ifan Jenkins, wedi busnes diflas yr ewyllys, wedi i Robert Roberts achub Ffynnon Oer rhag gorfod cael ei gwerthu, dyw Rhys ddim callach na dim sicrach ynglŷn â'r sefyllfa. Gwas ydyw o hyd, un sy'n digwydd bod yn fab-yng-nghyfraith i'r bòs, ond un sy'n gorfod ufuddhau i'w gorchmynion. A bòs llym iawn yw Esther Jenkins, a'i 'Rhys! Gwna hyn!' a'i 'Rhys! Gwna hynna!' yn dôn gron sy'n ei lethu. Er ei bod hi'n ei sicrhau ei bod hi'n dymuno iddo ffermio'r lle fel y gwêl orau, dyw hynny ddim yn hawdd â llygaid barcud yn syllu arnoch chi bob munud o bob dydd. A phob tro y bydd Rhys yn mentro codi busnes ei hewyllys – yr ewyllys nad yw eto'n bod – mae ganddi ateb parod megis bod angen amser arni i feddwl ac i benderfynu, neu bod angen cofio bod ganddi bump o blant a bod eisiau bod yn deg â phawb. Clywed hynny dro ar ôl tro sy'n codi natur Rhys ac yn peri iddo ddweud pethau yn ei gyfer. Ond mae ganddo ofn gwirioneddol ynglŷn â hawliau Martha ac yntau petai Mrs Jenkins yn marw'n ddiewyllys.

Martha . . . Stori arall yw honno . . . A menyw wahanol i'r un yr oedd hi naw mis yn ôl. Mae hi'n edrych yn wahanol, ei gwallt yn ffasiynol fyr, ei dillad smart yn adlewyrchu'r ffaith ei bod yn ennill cyflog da, a hwnnw'n gyflog sy'n cynyddu'n raddol gyda phob arholiad y mae hi'n llwyddo i'w basio a phob tystysgrif ychwanegol y mae'n ei hychwanegu at ei rhestr hirfaith. O ydy, mae Martha Jones yn llwyddo'n dda gyda chwmni Richard Griffiths, Solicitors. Fe fydd hi'n mynd ymhell.

Ac yn y cyfamser, dyma'i gŵr hi, a mab-yng-nghyfraith Mrs Jenkins, yn adnewyddu ffens ar gyrion Cae Pella, yng ngwres canol dydd ym mis Gorffennaf. Cyn diwedd y prynhawn, os na flinith ar y gwaith, fe fydd y ffens yn gyflawn. A pha ddiolch gaiff e? Dim – dim hyd yn oed gan y defaid.

*

Yn swyddfa Richard Griffiths, Solicitors, mae Martha'n gweithio wrth ei desg, yn un o dair clerc sy'n brysur yn anfon llythryron, yn cadw cofnodion ac yn trefnu'r llyfrau. Dyma ei gwaith swyddogol, sydd wedi rhoi'r fath ryddid iddi, sy'n ei galluogi i fynd o'r tŷ am wyth y bore heb orfod dychwelyd tan chwech y nos; y gwaith sy'n dod â chyflog anrhydeddus iddi, sy'n rhoi annibyniaeth iddi am y tro cyntaf.

Ond, mewn gwirionedd, nid sgrifennu llythyron na threfnu'r llyfrau y mae hi ar hyn o bryd – fe orffennodd hi'r gwaith hwnnw awr yn ôl. Darllen y mae hi; astudio rhyw lyfrau – cyfrolau trwchus – sy'n bentwr ar ei desg, a sgrifennu nodiadau am yr hyn y mae'n ei ddarllen.

Mae hi'n gweithio mor galed fel nad yw hi ddim yn sylwi bod y ddwy arall wedi mynd at y ffenest a'u bod nhw'n gwrando ar rywun yn traethu y tu allan ar Alban Square. Does ganddi ddim diddordeb mewn unrhyw beth heblaw am y cyfrolau, sef sylfaen ei hastudio angenrheidiol ar gyfer yr arholiad ymhen y mis. Ac yna – mwy o arholiadau, nes y bydd hi wedi cyrraedd y safon y mae Mr Griffiths wedi ei sicrhau sydd o fewn ei chyrraedd. Bod yn gyfreithwraig yw nod Martha, ac o'i nabod, mae pawb yn derbyn y bydd yn cyrraedd y nod hwnnw'n fuan iawn.

Clywed y ddwy'n chwerthin ac yn dweud rhywbeth am ryw 'bishyn golygus' sy'n peri i Martha godi'i phen o'i llyfrau a gwrando. Llais dyn ydyw, rhywun sy'n traethu am 'ddangos nag y'n ni'n barod i ga'l ein sathru yn y baw'. Yn sydyn mae Martha'n codi o'i chadair ac yn pipo dros ysgwyddau'r ddwy arall. Ie, fe sy 'na. A dyma'r tro cyntaf iddi ei weld ers deng mlynedd, er iddi feddwl amdano bob dydd. Mae un o'r merched yn gofyn a yw hi'n ei nabod.

– Odw . . . Wel o'n i . . . O'n i'n 'i nabod e'n dda iawn flynydde'n ôl . . .

Mae David Davies yn ochneidio wrth edrych ar y dwsin, fwy neu lai, o wynebau sy'n syllu arno'n ddifater neu'n llawn difyrrwch. Codi eu hysgwyddau mewn difaterwch neu wenu'n llawn difyrrwch, ond dim diddordeb gwirioneddol. Ond beth sydd i'w ddisgwyl yng nghadarnle'r hen Ryddfrydiaeth Gymreig a Chymraeg? Dyw rhyw dipyn o Shoni o'r cymoedd diwydiannol ddim yn mynd i gyffroi ffermwyr a mân farsiandwyr yr ardal hon. Ond rhaid peidio â gwangalonni. Yn sgil ymddeoliad Hopkin Morris, rhaid bod yn barod, paratoi'r ffordd a braenaru'r tir. Mae hi'n bwysig bod y neges Sosialaidd yn cyrraedd clustiau pawb – hyd yn oed Rhyddfrydwyr rhonc Sir Aberteifi.

– Anghofiwch yr hen wynebe, gyfeillion! Cefnwch ar deyrngarwch dall i'r Blaid Ryddfrydol! Symudwch mla'n! Meddyliwch am y dyfodol! Fe fydd ethol aelod seneddol newydd yn Sir Aberteifi'n gyfle gwych i ddechre o'r newydd! Rhowch fôt i ymgeisydd y Blaid Lafur!

Dim un arwydd o gytundeb na chymeradwyaeth. Dim ond hen wynebau'n syllu arno . . .

Ac un wyneb ifanc. Wyneb hardd. Wyneb yr un yr oedd yn ei charu flynyddoedd maith yn ôl.

– Martha!

– Shwt wyt ti, David? Ti'n swno'n dipyn gwell nag o't ti yn Hyde Park slawer dydd.

– Ond sa i'n ca'l dim gwell ymateb!

– Talcen caled i'r Blaid Lafur yw'r ardal 'ma. Dy'ch chi ddim yn cownto.

– Dim 'to! Ond beth yw'r 'chi' 'ma? So ti'n Sosialydd dim mwy?

– Dim Llunden yw Aberaeron.

– Ife ti yw ti?

Mae hi'n gwenu cyn ateb . . .

– Ife fi yw'r un o'n i? Nage . . .

– Wyt ti'n briod?

– Odw.

– Plant?

– Na. A tithe?

– Dim gwraig, dim plant.

Yn sydyn maen nhw'n sylweddoli eu bod nhw ar eu pennau eu hunain ar ganol cae gwyrdd Alban Square a bod y sgwrs wedi troi o fewn ychydig eiliadau o wleidyddiaeth at eu bywydau personol. Ac fe wêl Martha'r perygl ar unwaith.

– Wela i di, David.

– Pryd? Fory?

Eiliad o betruso cyn iddi ateb.

– Iawn . . .

Mae hi'n cerdded ar draws y sgwâr ac i mewn i swyddfa Griffiths, gan adael David yn syllu'n llawn edmygedd ar ei hôl.

*

Doedd dim dewis gan y forwyn ond galw Emlyn ar ôl gweld ei meistres yn yfed hanner decanter o frandi wrth dorri ei lluniau priodas yn ofalus â siswrn, snip, snip, snip cyn arllwys y darnau mân i'r fasged sbwriel.

– Jane! Be ddiawl wyt ti'n neud?

– Torri'n priodas ni, Emlyn. 'Na beth licet ti, ontefe? Torri'n priodas ni. Ca'l difôrs . . .

– Paid â bod yn wirion!

– Paid ti â gwadu! Achos ar ôl pymtheg mis, pymtheg mis hira 'mywyd i, beth sy 'da ni ond darne mân? Pymtheg mis o fyw 'da'n gilydd, o *odde* byw 'da'n gilydd o dan yr un to, o fyta ambell bryd o fwyd 'da'n gilydd, o fynd mas 'da'n gilydd, yn gyhoeddus, ambell waith. Ond beth arall? Dim. Dim cysgu 'da'n gilydd, dim caru . . . dim cariad . . . Ond wy *yn* dy garu di, Emlyn . . .

Mae hi'n estyn am ei law, ond mae yntau'n ei thynnu'n ôl yn reddfol, yn mynd i eistedd i'r gadair gyferbyn â hi ac yn arllwys gwydraid helaeth o frandi i wydr.

– O'r gora, Jane. Profa hynny i mi. Profa dy fod ti'n 'y ngharu i.

Llwnc sydyn o frandi.

– Deuda pwy ydi tad dy blentyn di. Ar ôl pymtheg mis, fel y deudist ti, o gelu dy gyfrinach fawr, mae hi'n bryd i mi gael gwbod. Felly, deuda . . .

– Alla i ddim . . .

– Dyna fo felly. Does dim byd mwy i'w ddeud.

Llwnc arall o frandi ac mae Emlyn ar ei draed, yn anelu at y drws. Mae Jane yn rhedeg ar ei ôl ac yn gafael ynddo.

– Emlyn! Paid â mynd! Plîs paid â 'ngadael i! Allen i byth â byw hebddot ti!

– Wel deuda wrtha i! Pwy 'di tad dy blydi plentyn di?

– Iawn! Fe weda i wrthot ti! Robert Roberts! Wncwl Robert. Dy blydi 'Yncl Robert' di! 'Na pwy yw tad Ifan Bach! Wyt ti'n hapus nawr?

Fe glyw'r forwyn sŵn drws y lolfa a drws y ffrynt yn clepian. A phan aiff i wrando wrth ddrws y lolfa, fe glyw ei meistres yn llefen y glaw.

*

Dyw'r Parchedig William Jones ddim yn siŵr beth i'w ddweud nesaf. Dyma Grace Roberts yn eistedd o'i flaen yn ei stydi, yn amlwg wedi dod ato i drafod rhywbeth pwysig ond, yr un mor amlwg, yn nerfus i wthio'r cwch i'r dŵr. Dyw'r ffaith iddo gael profiad tebyg ddwsinau o weithiau yn ystod ei ddeugain mlynedd yn y weinidogaeth ddim yn help. Mae rhywbeth ynglŷn â'i berthynas â Grace yn creu lletchwithdod rhyngddynt. Rhywbeth? Y gwir yw eu bod nhw, flynyddau'n ôl, am gyfnod byr, wedi rhoi argraff betrus i'w gilydd y gallai perthynas ddyfnach na honno rhwng gweinidog ac un o'i braidd ddatblygu rhyngddynt. Ond er gwell, er gwaeth, ac er syndod mawr i bawb, fe gafodd Robert Roberts afael ynddi. A nawr, a Grace yn ei alw'n 'Mr Jones' ac yn ymbalfalu am eiriau, ac yntau'n ei galw'n 'Mrs Roberts' ac yn cosi ei war yn anniddig, lletchwithdod sy'n teyrnasu.

Sgwrs am y tywydd i ddechrau, ac am y Cyfarfodydd Pregethu arfaethedig yn y capel. Fe gynigiodd gwpanaid o de iddi ac fe wrthododd. Bu sôn byr am Hannah a'r ffaith ei bod hi bellach yn actores enwog, a'r Parchedig yn egluro ei bod hi'n anodd i actores enwog sy'n teithio'r byd gadw mewn cysylltiad. Ond o'r diwedd, yng nghanol y siwrwd, mae Grace yn sibrwd y gyfrinach fawr.

= Mr Jones, ma' Robert yn dad i blentyn anghyfreithlon.

Byddai ei ferch yn falch o ddawn actio'i thad. Ei wyneb yn llawn syndod, nodio'i ben yn feddylgar, gadael saib hir cyn dweud dim = holl driciau'r Thesbiaid. Gallech dyngu nad oedd wedi clywed y gyfrinach erioed o'r blaen. Ond yn ystod y saib dawel fe gofia am y bore Sul hwnnw dros ddeng mlynedd yn ôl, am y llythyr dienw, am y sgwrs gyda Robert yn y festri, am y 'ddealltwriaeth' a'r addewid i gadw'n ddistaw ac am yr ysgwyd llaw. Ac fe wêl lygaid tywyll Hannah'n fflachio arno, ei hwyneb yn welw gan gasineb.

= 'Dach chi'n druenus, Tada. Yn trio 'nhynnu i i mewn i'ch celwydd a'ch rhagrith chi. Wel chewch chi ddim. Dwi'm isio dim i neud efo chi = na'ch crefydd na'ch blydi capal chi!

Ond mae Grace yn dweud rhywbeth arall.

= Ma' fe'n dad i blentyn anghyfreithlon 'i nith, Jane Jenkins, Jane Walters nawr. Ifan yw 'i enw fe. Ifan Bach ma'n nhw'n 'i alw fe. Ma'r teulu i gyd yn gwbod. O'n i'n gwbod pan briodes i â Robert. O'n i'n credu allen i odde byw 'da'r peth. Ond . . .

– Ond?

– Ma'r crwt wedi mynd yn obsesiwn 'da Robert. Ifan hyn, Ifan llall. Hala arian iddo fe, trefnu'i ddyfodol e. Ma' 'mywyd i'n uffern.

– Wylofain a rhincian dannedd sy yn fan'no, Mrs Roberts.

– Yn gwmws, Mr Jones . . .

– Oherwydd yr hogyn bach.

– Ie. Fe – a'i dad . . .

Saib hir, ac yna mae hi'n ateb y cwestiwn y mae William wedi'i ofyn iddo fe'i hunan, sef pam dweud hyn i gyd wrtho fe, o bawb?

– O'dd raid i fi weud wrth rywun. Ac fe alla i fod yn siŵr na wedwch chi wrth neb arall?

– Wrth gwrs y medrwch chi . . .

Ond cofiwch, Grace, ei fod yn perthyn i'r Frawdoliaeth . . .

*

– Pwy yn y byd nele shwt beth? I shwt hen ŵr bach diniwed fel Cohen?

Mae cwestiwn Annie'n atseinio yn ei ben wrth i John gerdded yn araf ar hyd y rhes. Sylla ar bob wyneb yn ei dro. Ai hwn yw e, neu hwn?

– *Take your time, Mr Jenkins. It's important that you get it right.*

Goronwy Phillips sy'n siarad, y plismon caled, nid y gwas priodas hawddgar a hudodd galon Marged Ann.

– *It's important that we get the bastard.*

Y bastard a geisiodd ladd hen ŵr o Iddew.

– *We'll get him, don't you worry . . .*

Ai hwn yw e? Neu hwn? Neu hwn?

Na, dyma fe, yr ail o'r pen. Ie, hwn yw'r un.

Pam, felly, y penderfyna John droi a cherdded am yr eildro ar hyd y rhes? Er mwyn bod yn berffaith, berffaith siŵr. Er mwyn edrych ym myw llygaid y bastard â sicrwydd perffaith cyn rhoi ei law yn gadarn ar ei ysgwydd ac amneidio ar y plismyn.

Mae'r dyn yn gwenu'n rhyfedd arno ac yn sibrwd o dan ei wynt:

– *You stupid Welsh bastard!*

Ac yna fe afaela'r plismyn ynddo a'i wthio i lawr y grisiau i gyfeiriad y celloedd.

*

Mae'r parti ar ei anterth, o dan y faner liwgar sy'n ymestyn ar draws y clos, rhwng y sgubor a'r beudy.

LLONGYFARCHIADAU I TI IFAN!
CONGRATS AR BASO'R SCHOLARSHIP A DOD YN DOP
SIR ABERTEIFI!

Mae bord fawr y gegin wedi'i chario allan a'i llwytho â danteithion, gan gynnwys jeli a *blancmange* a lemonêd, ac mae 'na saith o bobol yn eistedd wrthi ac yn claddu i mewn i'r bwyd. Ifan Bach, wrth gwrs, yn frenin ar dop y ford a Defi Oernant wrth ei ochor; Esther, Marged, Rhys, Enoc – a'r cropiedig, eilliedig, diwygiedig Luther sy'n ei chael hi gan Enoc a Rhys nes ei fod yn tasgu.

– Allith rhywun weud wrthon ni pwy yw'r dyn dierth sy'n ishte 'da ni?

– Jawl, ma' fe'n debyg iawn i drempyn o'dd yn galw hibo 'ma slawer dydd!

– Hwnnw o'dd yn sbowto barddonieth . . .

– A Latin a Greek bob yn ail.

– Gwedwch, ddyn dierth, odych chi'n 'i nabod e?

– Odw glei, Rhys bach! Gystled ag odw i'n nabod 'yn hunan!

Saith o bobol yn cael sbort ar brynhawn dydd Sadwrn braf. Does dim sôn am Martha. Roedd gwaith yn galw, fel y bydd yn amal y dyddiau hyn, hyd yn oed ar brynhawn dydd Sadwrn braf.

*

Mae ganddi gwmni yn ei swyddfa, ond does dim un o'r ddau'n gwneud unrhyw waith. Maen nhw'n eistedd gyda'i gilydd ar y ddesg fawr dderw. Yno y buon nhw ers awr, yn ddwfn yn eu hatgofion. Ond erbyn hyn, ac yntau'n gafael yn ei llaw, ac yn syllu i'w llygaid, mae hi'n siarad am 'fod yn gall' ac am 'bido neud dim byd dwl y byddwn ni'n 'i ddifaru'. Mae yntau'n dweud os mai dyna yw ei dymuniad, ei fod yn fodlon gollwng gafael yn ei llaw, codi ar ei draed a mynd o'r swyddfa'r funud honno. Os mai dyna ei dymuniad byddai'n fodlon peidio byth â dod yn agos ati eto.

Maen nhw'n syllu ar ei gilydd ac yn gwenu.

Ac yna maen nhw'n cusanu. Maen nhw'n cusanu am y tro cyntaf ers deng mlynedd.

*

Ifan Bach sy'n gweld Jane gyntaf. Mae hi'n sefyll ar waelod y lôn, yn syllu arnyn nhw ar draws y clos. Wrth iddo weiddi ei henw mae pawb yn troi ati. Ac yna mae Marged yn rhedeg ati i'w chofleidio ac yn ei harwain draw at y lleill.Yng nghanol y croeso a'r holi brwd ynglŷn â sydynrwydd ei hymweliad mae Esther yn holi cwestiwn llawer mwy perthnasol.

– Jane, beth sy'n bod?

Mae hithau'n ateb yn ddiniwed:

– Beth sy'n neud i chi feddwl bod rhwbeth yn bod?

– Achos dim ond pan fydd rhwbeth yn bod wyt ti'n dod gatre i Ffynnon Oer.

Mae Jane yn troi ac yn mynd i mewn i'r tŷ.

*

Ers ugain mlynedd, pan gyfarfu ag ef am y tro cyntaf, ni fu gan Robert Roberts fawr o feddwl o'i frawd-yng-nghyfraith. 'Llipryn di-asgwrn-cefn' a 'hen sinach bach gwan' – dyna sut y byddai'n ei ddisgrifio petai rhywun yn gofyn ei farn amdano. A dweud y gwir, dyna'r union ddisgrifiad a roddodd ohono i sawl un sawl tro.

Ie, testun tosturi yw Isaac Jenkins yng ngolwg y meddyg. Cysgod bach o ddyn sy'n dyheu am fod yn uwch na'i stad, sy'n gorfod ymdrechu'n galed i gadw'i ben uwchben y dŵr, i gadw'r blaidd o'r drws. Paraseit o ddyn, methiant ym mhopeth. Ac ar ben y cyfan, un a aeth yn ysglyfaeth i alcohol. Bu Robert yn fawrfrydig tuag ato erioed, ac yn garedig wrtho sawl tro. Ffafr fach fan hyn a draw, ambell air yn y clustiau dylanwadol, ei gyflwyno i'r Frawdoliaeth, hyd yn oed. Ond fel y byddai Taid Llanrwst yn ei ddweud, 'os nad ydi dyn yn medru'i helpu'i hun, helpith diawl o neb arall y cythral!'

A dyma'r dyn wedi dod ar ei ofyn unwaith eto. A'r tro hwn, am y tro cyntaf erioed, fe synhwyra Robert nad crafu a wna, nid gofyn am gymwynas, ond ymbil o waelod ei galon, o ddyfnder ei enaid.

Nid dyma'r tro cyntaf i Isaac orfod llyncu ei falchder a gofyn am gymorth ei frawd-yng-nghyfraith. Ond dyma'r tro cyntaf iddo wneud hynny â chydwybod glir, heb ei ffieiddio'i hunan, heb deimlo'n israddol. Ac fe ŵyr yn iawn pam. Dyma'r tro cyntaf iddo ymbil o waelod ei galon dros ei fab, un a gyhuddwyd o droseddau difrifol. A'r fath droseddau! Annog trais, cynllwynio i losgi eiddo, cynllwynio i ladd. Troseddau anhygoel, anhygoel o ddifrifol a chwerthinllyd yr un pryd.

Mae Robert yn arllwys brandi iddo ac yn dweud wrtho am eistedd, ac am gymryd pwyll wrth egluro'r cyfan o'r dechrau i'r diwedd. Ond mae unrhyw bwyll yn mynd drwy'r ffenest wrth i Isaac ddechrau dweud yr hanes, ac wrth i'r brandi wneud ei briod waith.

Y manylion moel i ddechrau. Dyn yr oedd John wedi llwyddo i'w nabod, yn cyfaddef, o dan fygythiad cyhuddiad o fwrdwr, mai gwas bach ydoedd i '*that other Welsh bastard*', Daniel Jenkins. Llwnc o frandi. Daniel yn cael ei gymryd i'r ddalfa, gan y coc oen bach Goronwy Phillips, o bawb, ac yn cael ei holi am oriau a'i gyhuddo. Ei gyhuddo ar dystiolaeth *thug* o'r Isle of Dogs! Llwnc arall. Does dim tystiolaeth arall – ar wahân i'r ffaith bod Daniel yn hoff o dynnu coes yr hen Cohen weithiau. Wel, Dan yw Dan ontefe? Yn hoff o'i jôc fach nawr ac yn y man. Ond does dim drwg ynddo – drygioni, falle, drygioni digon iach, ond dim drwg, dim malais. O na, dim malais. Yn enwedig tuag at hen gymydog mwyn! At hen ffrind i'r teulu, rhywun a ystyriai Dan fel mab iddo, rhywun a fu'n siglo'i grud, yn gwthio'i *berambulator,* yn dal ei law wrth groesi'r stryd. Un a fu'n rhan o'i fynd a'i ddod gydol ei blentyndod a'i laslencyndod. Twt! Daniel yn dymuno niwed i'r hen Cohen? 'Na beth yw jôc! Na, dyna beth yw celwydd, malais, celwydd maleisus. Llwnc arall. A beth bynnag, mae'r hen Cohen yn gwella'n dda. Fe gododd o'i wely heddiw a cherdded gam neu ddau ar bwys ei ffon. Rhai fel'ny yw'r hen Iddewon 'ma. Gwydn fel croen camel . . .

Mae Robert yn arllwys mwy o frandi iddo ac yn holi a yw'n berffaith siŵr nad oes tystiolaeth arall yn erbyn Dan. Mae Isaac yn oedi, a'i wyneb yn datgelu twtsh o bryder.

Oes . . . Dim byd o werth, dim ond bod Dan wedi bod yn sôn ar goedd – sôn gormod, falle, o nabod ei fab – ei fod e a Pritchard â'u llygaid ar yr iard y tu cefn i'r siop. Pritchard fyddai'n prynu'r lle ac yn dod i ddealltwriaeth gyda Dan ynglŷn â chadw'r tacsis yno. Dim byd mwy na hynny. Llwnc arall. Ond a dweud y gwir, fuodd 'na ddim trafodaeth am y peth. Y mater byth yn codi, yr hen Iddew yn osgoi trafod, y cyfle'n cael ei golli. Fel'na mae pethau'n digwydd, ontefe? Pawb ar ras, a neb ag amser i wneud pethau'n iawn. Llwnc arall.

A Robert yn gofyn y cwestiwn mawr . . .

– A beth yn union wyt ti'n 'i ddisgwyl gin i?

Ac Isaac, yn sydyn, yn deall yn iawn. Fydd 'na ddim help gan Robert.

– Ma'n ddrwg gin i, Isaac, ond mae fy nwylo wedi'u clymu. Does 'na ddim y medra i neud. Ond fel hyn dwi'n 'i gweld hi, beth bynnag. Os ydi Daniel yn ddieuog, mi ddaw o'n rhydd heb fy help i na neb arall. Mae gin i berffaith ffydd yn y system gyfreithiol ora'n y byd.

Mae Isaac yn gadael y diferyn olaf o frandi ar ôl yn y gwydr. Mae hi'n bwysig cadw rhywfaint o barch. Ac yna fe ffarwelia â Robert. Mae ei wraig a'i fab yn disgwyl clywed yr hanes.

Ar ôl iddo fynd, mae Robert yn chwythu mwg ei sigâr yn gylchoedd. Ei dro ef yw hi i'w ffieiddio'i hunan. Fe ŵyr yn iawn y gallai helpu ei nai; ysgwyd llaw mewn ffordd arbennig a gair yn y clustiau iawn yw hi bob amser yn yr hen fyd yma. A byddai'n barod i wneud hynny er mwyn Isaac ac Annie. Does ganddo ddim cwyn yn eu herbyn hwy. Ond am y mab . . .

Mae ei feddwl yn mynd yn ôl ddeng mlynedd. 'Deinameit'

oedd y gair a ddefnyddiodd yr un sy'n 'hoff o jôc fach nawr ac yn y man', chwedl ei dad.

– Cyfrinach y gyfnither a'i hwncwl parchus! 'Na beth yw deinameit – ontefe?

Wel, dyma flas o'i jôc ei hun i'r gwalch. A dyma gynnig ychydig o'i 'ddeinameit' ei hun iddo. Mi geith o chwysu yn 'i gell am dipyn. Mae gan Robert bethau gwell i'w gwneud na phoeni am Daniel Jenkins. Pethau fel bod yn Aelod Seneddol Sir Aberteifi.

Awst, 1931

Daeth y seremoni i ben. Ar ôl iddo sefyll â mwgwd dros ei lygaid a rhaff am ei wddf, ar ôl iddo ddinoethi ei ben-glin chwith a'i fraich dde a dioddef cyllell finiog yn pigo'i frest, ar ôl iddo benlinio o flaen y *Worshipful Master* a siantio a gweddïo gyda'r brodyr eraill, fe dderbyniwyd Goronwy Wyn Phillips yn gyflawn aelod – *true and faithful brother* – o'r Frawdoliaeth.

Erbyn hyn maen nhw'n diosg eu gwisgoedd a'u paraphernalia ac yn eu hongian ar y bachau. Robert Roberts, Y Parchedig William Jones, Goronwy Phillips a'r llyffant Pritchard – mae'r brodyr yno i gyd. Na, mae 'na ambell fachyn gwag. Ac mae'r cwestiynau'n cael eu gofyn.

Ble mae'r hen Isaac Jenkins? Rhwng y pedwar masiwn – ei frawd-yng-nghyfraith, ei weinidog, ei hen elyn a'r plisman sy'n cyhuddo'i fab o geisio lladd hen Iddew – mae perfedd yr hen Isaac yn cael ei drafod yn o drylwyr.

Mae'r hen frawd yn dal yng nghanol ei ofid ynglŷn â'i fab, debyg iawn. Mae hwnnw'n dal yn y *Scrubs* yn aros ei brawf, a fawr ddim y gall neb ei wneud i'w helpu. Dim hyd yn oed y Frawdoliaeth. Druan ag Isaac, yr hen frawd.

Petai'r pedwar yn onest fe fydden nhw'n dweud rhywbeth arall. Fe fydden nhw'n cydnabod yn agored eu bod yn deall yn iawn pam nad yw Isaac am ddangos ei wyneb. Pwy fyddai â chalon i fentro i ganol y Frawdoliaeth, a honno wedi troi ei chefn arno ar ei awr dywyllaf?

Fe fyddai'r Parchedig William Jones yn eu hysbysu bod y gofid yn cael effaith mawr ar Annie ac Isaac, er eu bod nhw'n gwbwl ffyddiog bod eu mab wedi'i gyhuddo ar gam. Sawl gwaith y bu'n gwrando arnyn nhw'n cyfaddef mai dihiryn o'r radd flaenaf yw'r hen Daniel, ond nad yw'n rhan o'i gymeriad drygionus i 'neud shwt beth erchyll â 'na!'? A sawl gwaith y bu'n rhaid iddo eu cysuro? A'r unig gysur y gall ei gynnig yw bod cyfraith gwlad yn berffaith deg a chyfiawn.

Fe fyddai Robert yn cyfaddef bod y gofid wedi effeithio ar berthynas Annie a Grace. Dwy chwaer a arferai fod yn bartneresau mawr ac yn gefn i'w gilydd, bellach wedi dieithrio, a hynny'n bennaf oherwydd anallu honedig Robert i fod o unrhyw gymorth mewn cyfnod anodd.

Ac fe fyddai Pritchard yn cyfaddef ei fod yn awyddus i gadw'i ben i lawr nes bod y 'trwbwl' wedi cilio, un ffordd neu'r llall. Mae ei enw wedi'i gysylltu ag un Daniel Jenkins oherwydd cysylltiadau busnes. A rhan o'u busnes ar y cyd oedd cwrso Isaac Cohen ynglŷn â'i iard. Nawr fe fydd y llyffant yn siŵr o gael ei alw o flaen ei well i egluro ambell beth – ambell beth y byddai'n well ganddo eu cadw o dan glawr.

A beth am Goronwy Wyn Phillips, y plismon cydwybobol sy'n awyddus i ddringo i ben yr ysgol? Onid yw dweud hynny'n dweud popeth? Ond byddai ambell un a gyhuddwyd ar gam ganddo, ambell un a ddyrnwyd yn ddu las ganddo ym mherfeddion y celloedd, yn gallu dweud mwy.

Un arall sy'n absennol yw Emlyn Walters. Beth yw hanes hwnnw erbyn hyn? Fe ddiflannodd yn ddisymwth, gan adael *locum* yn y practis, a chan ddweud y byddai'n cysylltu cyn bo hir. Wythnosau'n ddiweddarach does neb, gan gynnwys ei ewyrth Robert, a Goronwy, ei gyfaill mawr, wedi clywed oddi wrtho. A bu Jane yn Ffynnon Oer am hydoedd. Mae rhywbeth rhyfedd wedi digwydd . . .

Yr eiliad y mae'r llyffant Pritchard yn diflannu i lawr y coridor, mae gan Robert gwestiwn arall i'w ofyn i Goronwy.

– A be 'di'r hanas diweddara am fy annwyl nai?

– Mi fydd o'n rhydd chwap. Fedrwn ni mo'i gadw o fawr hirach. *Lack of proof.*

– Llysywan fuodd o erioed . . .

– Wel, mae'r llysywan yn mynd i ddengid y tro yma eto. Gwaetha'r modd.

Bum munud yn ddiweddarach, dim ond y Doctor a'r Parchedig sydd ar ôl. Ac mae'r Parchedig yn amlwg yn awyddus i gael gair â'r Doctor.

– Robert, mae rhywbeth wedi bod yn pwyso'n drwm ar fy nghydwybod – fel '*true and faithful brother*' i chi.

Mae Robert yn gwingo. Ar adegau fel hyn fe sylweddola mor

anfanwl ac anaddas yw ieithwedd y Frawdoliaeth. Beth bynnag am hynny fe gaiff wybod gan ei weinidog a'i gyd-fasiwn – ei frawd cywir a ffyddlon – am anhapusrwydd cyffredinol Grace, ac am ei hobsesiwn rhyfedd ynglŷn ag Ifan Bach.

A'r noson honno, fe wna Robert hi'n berffaith glir i Grace ei fod yn gwybod am ei chyfaddefiad.

– Mi ges i sgwrs hir efo William Jones heno. Deud mor lwcus ydw i bod gin i wraig fatha chi. Mor bwysig ydi hi i ddyn cyhoeddus fatha fi gael gwraig ffyddlon yn gefn iddo – yn enwedig efo busnas yr enwebiad ar y gorwel . . . Ia, mae gin i barch mawr i farn yr hen William. Dyn o egwyddor . . . Fel y graig . . . Mi faswn i'n medru deud unrhyw beth wrtho fo, a gwbod na fasa fo'n datgelu dim wrth neb. Dwi'n lwcus iawn. Dwi'm yn meddwl bod *pawb* mor lwcus â mi . . .

Gwên fach fuddugoliaethus cyn rhoi ei *Times* o dan ei fraich a throi am y drws.

– Dyna fo, bora cynnar fydd hi fory yntê, a ninna'n cychwyn am Aberaeron. Dwi am fynd i 'ngwely. Nos dawch, Grace . . .

*

A dyma 'wraig ffyddlon' arall. Bu hi a'i chariad yn caru'n wyllt mewn gallt o goed rhwng Aberarth a Phennant. A nawr mae hi'n eistedd yn ei gar ryw hanner canllath o geg lôn Ffynnon Oer, yn trefnu eu hoed nesaf. Mae'r ffaith eu bod mor fentrus, eu bod yn herio ffawd, yn rhoi pleser rhyfedd iddyn nhw. Beth sydd yn fwy mentrus, yn fwy gwefreiddiol o beryglus, nag eistedd gyda'i gilydd mewn car mor agos at berygl, mor agos at lygad y ffynnon? Ond maen nhw'n berffaith ddiogel, mewn gwirionedd, gan nad yw ond chwarter i naw a does neb yn disgwyl Martha adref tan y *bus* naw.

Fe fydd eu hoed nesaf yn llawer mwy cyhoeddus – mewn cyfarfod cyhoeddus yn y Memorial Hall i fabwysiadu'r ymgeisydd Llafur. Lle diramant, ond yn ddigon cyhoeddus i fod yn hollol ddiogel. Yn rhy ddiogel, nawr y maen nhw wedi blasu cyffro perygl.

Maen nhw'n cusanu'n ddwfn, ac yna mae Martha'n mynd

allan o'r car ac yn codi'i llaw ar David wrth iddo yrru i ffwrdd. Mae hi'n gwneud yn siŵr bod ei dillad a'i gwallt yn weddol gymen cyn dechrau cerdded tuag at geg y lôn, heibio i stand y *churns* llaeth, heibio i Rhys, sy'n cuddio yn y cysgodion.

*

Yng nghegin Ffynnon Oer mae Esther yn manteisio ar y ffaith fod Rhys wedi mynd i gwrdd â Martha o'r *bus* naw a bod Marged ac Ifan Bach wedi mynd i'r gwely. Mae Jane newydd ddod i'r tŷ, ac fe ŵyr Esther yn iawn ble mae hi wedi bod – yn eistedd wrth y pwll hwyaid, yn syllu ar adlewyrchiad y lleuad yn y dŵr, yn taflu carreg i'w ganol er mwyn ei chwalu'n donnau mân. Dyna ble y mae hi'n mynnu mynd ar bob noson braf, weithiau yng nghwmni Martha, neu Rhys, neu hyd yn oed yng nghwmni Esther. Ond fel arfer mae hi'n eistedd yno am oriau ar ei phen ei hunan.

Mae Esther yn poeni'i henaid amdani. Bu adref ers mis, a does dim unrhyw gysylltiad wedi bod ag Emlyn. Dyw Jane byth yn sôn amdano. Prin y mae hi'n siarad â neb – heblaw am Ifan Bach. Mae hwnnw'n llwyddo i wneud iddi chwerthin, hyd yn oed.

Does neb ddim callach ynglŷn â'r rheswm pam y mae hi yma. Does dim sôn am ffrae gydag Emlyn, dim sôn am unrhyw broblem, dim hyd yn oed wrth Martha.

Mae gan Esther reswm da dros siarad â Jane heno. Fe ddeallodd bod Robert a Grace ar eu ffordd o Lundain fory, ac mae'n rhaid i Jane – a'r lleill i gyd, gan gynnwys y crwt bach lwcus ei hunan – gael gwybod am gynlluniau mawr Robert ar gyfer Ifan Bach. Ond mae hi'n ddyletswydd arni i sôn wrth Jane i ddechrau. Fe benderfynodd – fe ddechreuodd – wneud hynny fwy nag unwaith yn ystod yr wythnosau diwethaf. A methu am wahanol resymau. Cachgïo, gohirio, colli cyfle . . .

Heno yw'r cyfle olaf . . .

– Jane . . .

Mae Jane yn troi ei llygaid at ei mam.

– Wyt ti'n iawn?

– Wrth gwrs . . .

– Wel, ma' 'da fi newyddion da i ti – am Ifan Bach. Gan 'i fod e wedi neud cystal yn 'i *Scholarship*, ma' Robert wedi cynnig 'i hala fe i Kings' College. Talu am bopeth. Pob cinog . . . Ma' Robert yn gweud . . .

Chawn ni ddim gwybod beth mae Robert yn ei ddweud oherwydd mae Jane yn codi ac yn rhuthro i fyny'r staer ac yn clepian drws y stafell wely. Mae Esther yn ochneidio. Colli cyfle arall – na, o leiaf mae hi wedi torri'r garw.

Yr eiliad honno fe gyrhaedda Martha, ac mae Esther yn mynd i'w phluf yn syth.

– Pam wyt ti mor hwyr? Aros di nes ca i afel ar y Griffiths 'na!

– Mam, neud cinog fach yn ecstra o'n i.

– Yr unig un sy'n neud cinog fach yn ecstra yw Griffiths Cyfrithwr! Gyda llaw, ble ma' Rhys?

– Rhys? Weles i mohono fe . . .

*

Drannoeth, am chwarter i bedwar y prynhawn, mae motor car crand wedi'i barcio y tu allan i gatiau Ysgol Brynarfor, a chriw o blant yn un haid o'i gwmpas yn llygadu, yn llawn cenfigen, yr unig ddau sy'n cael y fraint o fynd i eistedd ynddo – Ifan Ffynnon Oer a Defi Oernant. Mae Robert ar fin cychwyn yr enjin pan ruthra Byron Williams, y scwlmishtir, ato â'i wynt yn ei ddwrn.

– Doctor Roberts!

– Mister Williams – ydi pob dim yn iawn ar gyfar heno? Chwech o'r gloch?

– Ma'n rhaid i ni – i chi a fi – siarad cyn hynny!

– Iawn. Hanner awr wedi pump? Hen ddigon o amsar i ni gael sgwrs, ac i chithau roi cyngor i mi ynglŷn â dofi'r llewod. Hwyl rŵan . . .

Mae'r motor car wedi chwyrlïo i ffwrdd cyn i Williams allu dweud dim mwy. Cyn iddo allu rhybuddio Robert am y llythyr a dderbyniodd y bore hwnnw.

*

– Kings' College, London! A'r cwbwl y tu ôl i 'nghefen i!

Mae llygaid Jane ar eu mwyaf peryg, yn fflachio o gynddaredd. Dyw Esther ddim yn gallu credu'r newid sydyn ynddi. Yn sydyn, mae'r pedair wythnos hir o syrthni a difaterwch a diffyg cyfathrebu llwyr wedi ffrwydro'n ffrwd o dymer wyllt, a honno wedi'i hanelu ati hi a Robert.

Druan ag Esther. Dyma hi, yn llygad y dymestl unwaith eto, yn blwmp yng nghanol ffrae rhwng Jane a thad ei phlentyn. A hithau'n medru gwneud dim ond sefyll 'nôl a gwrando, yn ddim ond hen wraig ddefnyddiol, un a wnaeth ei gorau ers blynyddoedd dros ei merch a'i hŵyr. Yr ŵyr – y mab – yw'r testun trafod unwaith eto fel y bu ers cyn ei eni. Fe'r crwt bach a gyrhaeddodd gynnau yn nghôl ei dad yn sedd flaen y motor car, yn cael newid gêr a llywio fel dyn mawr. Fe sy nawr yn chwarae criced gyda Defi Oernant ar y clos. Mae eu gweiddi a'u chwerthin i'w clywed dros leisiau croch y fam a'r tad.

– Pidwch â chredu y gallwch chi 'nhwyllo i! Ma'ch hen dricie chi'n amlwg i bawb! Ma' pawb yn gwbod beth neloch chi adeg ewyllys Dat. Dim achub Ffynnon Oer neloch chi wrth roi'r arian 'na i Mam, ond prynu'ch siâr yn Ifan Bach! Ie, prynu Ifan Bach am fil o bunne! A chithe, Mam, yn 'i werthu fe! Wel chewch chi ddim! Dyw e ddim yn mynd! Dyw e ddim yn mynd i Kings' College! Dyw e ddim yn mynd i Lunden! Odych chi'n deall?

– Jane, mae o'n gynnig gwych. Addysg breifat, un o ysgolion gora'r wlad.

– Yng nghanol Saeson crachach! Byth yn gweld 'i deulu!

– Mi fasa fo'n gweld Grace a finna'n ddigon aml!

– 'Na'r tric, ontefe! Y tric whareuoch chi â Mam!

Clywed hyn sy'n peri i Esther grychu'i thalcen a syllu'n od ar Robert. A sibrwd . . .

– Robert, ma' arna inne ofon 'i golli fe.

– Fasa hynny ddim yn digwydd, Esther . . .

– Mam! Alla i byth â chredu hyn! Chi'n ofon 'i 'golli' fe? Ond dim chi pia fe! *Fi* yw 'i fam e!

Ar y gair mae Ifan Bach yn rhuthro drwy'r drws, a'i gysgod yn ei ddilyn.

– Allith Defi a fi ga'l rhwbeth i fyta?

Afal yr un yn eu dwylo ac mae Esther yn rhoi gorchymyn i'r ddau fynd yn ôl i chwarae.

– Cerwch! Siarad pobol fowr sy fan hyn.

Mae'r ddau grwt bach yn ufuddhau, mae Jane yn eistedd yn swp ar y sgiw, mae Esther yn pletio'i ffedog yn nerfus ac mae Robert yn edrych ar ei watsh. Ac yn sydyn daw Martha i lawr y staer a sefyll a syllu ar y tri yn eu tro. Bu'n gwrando ar y dadlau o'r llofft ac mae'r cyfan wedi troi arni. Mae hi'n mynd at Jane ac yn ei chofleidio.

– Dere di, Jane fach . . . Beth sy'n bod arnoch chi, gwedwch? Mam? Wncwl Robert? Odych chi'n ddall? Edrychwch arni! Edrychwch ar 'i chyflwr hi!

Erbyn hyn mae Jane yn beichio crio.

– Dere di, Jane fach . . . Dere mas i ga'l awyr iach.

A'r ddau ar eu pennau eu hunain, mae Robert ac Esther yn llygadu'i gilydd.

– Gwrandwch Esther, dwi 'di breuddwydio ers dros ddeng mlynadd am roi'r cyfla yma i'r hogyn bach . . . A dwi isio i chi gofio un peth. Mi oedd 'na amod bendant ynglŷn â'r pres. Fi oedd fod dewis 'i addysg o. Os geith yr amod 'i thorri . . . 'Dach chi'n dallt be dwi'n drio'i ddeud?

Mae Esther yn deall yn iawn. Hwn yw'r dyn a wnaeth gam â'i merch, y dyn y bu'n ei ffieiddio am ddeng mlynedd, yr un y gwaharddodd o'i chartref. Bellach, fe sy wedi ennill, oherwydd mae e wedi ei hennill hi. Mae e nawr yn gwenu'n fuddugoliaethus arni.

*

Yn *lounge* y Feathers mae Byron Williams ar bigau'r drain. Ble ddiawl mae'r dyn? Fe addawodd fod yma am hanner awr wedi pump. Mae hi nawr yn chwarter i chwech, a'r cyfarfod ar fin dechrau. Cyrhaeddodd rhai o'r pwyllgor yn barod, a chan mai sticler ynglŷn ag amser yw'r cadeirydd fe fydd hi'n anodd cael sgwrs.

Ble ddiawl mae e? Mae ei wraig fan hyn â golwg ddiflas arni, yn honni nad oes syniad ganddi ble mae ei gŵr. Ond mae'n rhaid ei bod hi'n gwybod. Mae'n rhaid ei bod hi'n dewis peidio â dweud. Petai hi'n gwybod am y llythyr, druan. Petai hi'n gwybod am ei gynnwys, am yr honiad erchyll . . .

Beth ddiawl mae e'n mynd i'w wneud? Anwybyddu'r llythyr? Sôn amdano wrth Robert Roberts a neb arall? Fe fydd hynny'n anodd – bu'n ddigon anodd cadw'n dawel am y peth drwy'r dydd. Ond roedd am i'r Doctor gael gwybod amdano'n gyntaf, a chael cyfle i ymateb. Ond nawr mae hi'n rhy hwyr oherwydd mae Robert yn cyrraedd yng nghwmni'r cadeirydd sy'n eu hannog yn joli i fynd i mewn i'r stafell bwyllgor yn ddiymdroi. Cytuna Robert, ac ar ôl taflu gwên sydyn ar Grace fe gerdda'n sionc ar ei ôl. 'Fel oen i'r lladdfa', meddylia Williams.

Mae Grace yn sylwi arno'n oedi rhywfaint cyn eu dilyn. Ac yna mae'r drws yn cau.

*

Pedwar ar ddeg o bobl sydd yn y Memorial Hall, gan gynnwys y Parchedig David Myrddin Jones, darpar ymgeisydd y Blaid Lafur, a Mr David Davies, aelod o'r Pwyllgor Gwaith yng Nghaerdydd. Maen nhw ill dau'n eistedd ar y llwyfan, a'r gweddill wedi'u gwasgaru'n denau yn seddau'r gynulleidfa.

Mae'r darpar ymgeisydd newydd siarad, a'r gynulleidfa newydd ei gymeradwyo'n ofalus, a nawr mae David Davies ar ei draed yn diolch iddo ac yn sôn bod y Blaid Lafur, plaid y bobol, plaid y werin, yn gwahodd pawb i edrych i'r dyfodol yn hytrach na byw yn y gorffennol. Mae'r dyn ifanc huawdl hefyd yn addo y bydd enwau mawr y Blaid Lafur – Stafford Cripps, George Lansbury ac Arthur Greenwood – yn dod i Sir Aberteifi i gefnogi'r ymgeisydd egnïol a galluog hwn.

– Fe fydd y lecsiwn hon yn lecsiwn fowr, gyfeillion, drw'r wlad ac yng Nghymru! Dewch i ni ga'l rhoi'r hen sir yma ar y map! Dewch i ni roi dyfodol newydd iddi! Ymddiriedwch yn y Blaid Lafur, a phleidleisiwch drosti! Diolch yn fawr . . .

Mwy o gymeradwyo – byr iawn – ac mae'r cyfarfod ar ben. Mae Martha'n gwenu ar David cyn mynd allan drwy'r drws heb dorri gair â neb. Chwarter awr o fân siarad a chlirio'r pamffledi a'r posteri ac fe fydd David yn ei dilyn.

*

Areithio y mae Robert hefyd. Sôn am ei barch aruthrol at Sir Aberteifi, sir a fagodd gewri'r gorffennol, gan gynnwys Rhys Hopkin Morris y bydd yr etholaeth ar ei cholled heb ei wasanaeth disglair. Ond mae Robert yn addo, â'i law ar ei galon, y byddai, petai'n cael y fraint o'i olynu, yn ymdrechu'n lew i lenwi ei sgidiau. Wedi'r cyfan, mae tir y sir yn gysegredig iddo, a'i wraig gyntaf, Katie, un o deulu adnabyddus Ffynnon Oer, wedi'u chladdu yma . . .

Yn sydyn mae'r cadeirydd yn torri ar ei draws ac yn estyn llythyr iddo. Dyma'r llythyr a fu'n mynd o law i law ar hyd y ford ers iddo ddechrau ar ei araith. Williams yn ei roi i'r cadeirydd; hwnnw'n ei ddarllen ac yn ei roi i'r dyn nesaf ar y dde ac ymlaen ac ymlaen nes bod chwech wedi'i ddarllen. Roedd Robert wedi sylwi ar y cyfan, a sylwi ar ambell un yn codi'i aeliau, ar ambell edrychiad slei dros sbectol, ar ambell besychiad nerfus. A nawr fe ddealla pam.

Mae'r cadeirydd yn disgwyl yn amyneddgar am ei ymateb. Penderfyna Robert roi hwnnw mewn un gair.

– Celwydd.

Ac yna ei eglurhad gorchestol o'r sefyllfa. Mai dialedd sydd wrth wraidd y llythyr, dialedd ei racsyn o nai cynllwyngar, hiliol, un sy'n wynebu cyhuddiad o annog trais yn erbyn Iddew, o geisio llosgi cymydog iddo'n fyw. Y ffaith iddo wrthod helpu'r rhacsyn euog sydd wedi ei gynddeiriogi. Dialedd pur, ar ffurf llythyr maleisus o Wormwood Scrubs.

Ond mae'r cyfan drosodd yn sydyn iawn a'r freuddwyd a'r gobeithion a'r cynlluniau wedi'u chwalu'n rhacs. Mae'r cyhuddiad yn y llythyr yn un difrifol iawn – ei fod yn dad i blentyn anghyfreithlon. Gwir neu beidio, mae cyhuddiad felly'n gwbwl annerbyniol. O dan yr amgylchiadau, rhaid rhoi lles y Blaid Ryddfrydol o flaen pob ystyriaeth arall, a chydag ymddiheuriadau diffuant, penderfyniad unfrydol y pwyllgor yw tynnu'r gwahoddiad yn ôl a rhoi gwrandawiad teg i'r ymgeiswyr teilwng eraill. Wedi'r cyfan, does byth fwg heb dân . . .

Robert yw'r unig un i sylweddoli eironi anhygoel y geiriau.

Llongyfarchiadau, Daniel Jenkins. A diolch am y deinameit.

*

Mae'r haul yn machlud yn llachar dros fae Ceredigion, ac ar draeth Aberaeron mae athro Lladin a Groeg *Lampeter County School* yn cerdded ar ei ben ei hunan dros y cerrig mân. Mae ei gysgod yn gwmni hir wrth ei ochor, a sŵn y crenshian cyson o dan ei draed yn gysur rhyfedd.

Hwn oedd ei chweched cais. Nid ar chwarae bach y mae ymddiried mewn hen drempyn. Ond, o'r diwedd, fe lwyddodd i brofi rhywbeth iddo fe'i hunan ac i bawb arall. Beth yn union? Dyw e ddim yn siŵr.

Bydd yn dechrau ar ei swydd ymhen tair wythnos. Ac mae arno ofn. Ofn affwysol yr anghyfarwydd; ofn caethiwed pedair wal; ofn plygu i'r system; ofn iddi ei drechu. Ofn iddo gymryd cam gwag; ofn y bydd yn difaru pan fydd hi'n rhy hwyr.

Ofn y cyfan y cefnodd arno am flynyddoedd.

Yn y bore fe fydd yn rhannu'i newyddion gyda'i ddau ffrind mawr, Enoc Thomas, a Marged Jenkins, Ffynnon Oer, eneidiau mawr diaddysg sy'n gwybod y cyfan, a mwy.

Ond heno, mae'n well ganddo fod ar ei ben ei hunan . . .

*

Hanner milltir o'r dref mae afon Aeron yn galeidosgop o liwiau yng ngolau'r machlud. Yr haul oren, yr awyr binc, gwyrddni'r haf hwyr a ffrog las Martha – fe gân nhw i gyd eu hadlewyrchu yn y dŵr. Mae hi'n eistedd ar gangen sydd a'i brigau'n cribo'r dŵr, ei phen yn pwyso ar y boncyff. Mae ei llygaid ynghau ond gŵyr yn iawn fod David yn ei llygadu. Fe glyw ei lais yn dweud wrthi ei bod yn bert, yn arbennig o bert yn ei ffrog las. Dyw David ddim yn sylwi arni'n crychu'i thalcen. Dyw e ddim yn gwybod bod Rhys wedi dweud yr union eiriau yna wrthi pan oedd yn cychwyn am Aberaeron.

– Ti'n bert, Martha. Yn bert iawn yn y ffroc 'na.

Dyw David ddim yn gwybod bod Martha wedi sylwi ar edrychiad bach od yn llygaid ei gŵr wrth ofyn cwestiwn hollol naturiol iddi:

– Pryd fyddi di'n ôl?

A dyw e ddim yn gwybod ei bod hi wedi gwrido wrth ei ateb:

– Ar y *bus* naw.

Mae hi'n codi ac yn mynd ato i eistedd ar y sedd fach bren sydd ar fin y llwybr. Mae yntau'n rhoi ei fraich amdani'n syth ac yn ei chusanu. Ond mae hi'n ei wthio i ffwrdd.

– Ma'n rhaid i fi fynd . . .

– Ma' digon o amser.

– Digon o amser i beth?

– I fi weud bo fi'n dy garu di. Bo fi dros 'y mhen a 'nghluste mewn cariad â'r fenyw berta, fwya alluog yn y byd.

– Sy'n digwydd bod yn briod.

– Sy'n anhapus yn 'i phriodas.

– Shwt wyt ti'n gwbod?

– Ma' hi wedi gweud wrtha i.

– Gweud gormod, 'na'i phroblem hi erioed.

Yn sydyn fe afaela ynddi a'i chusanu'n ffyrnig cyn syllu i fyw ei llygaid.

– Martha! Pam na fyddi di'n onest?

– Yn lle twyllo 'ngŵr, ti'n feddwl? Twyllo 'ngŵr, twyllo pawb. A'r cyfan er mwyn whant!

– Er mwyn *cariad*, fenyw! Sawl gwaith ma'n rhaid i fi weud? Wy'n dy garu di!

Mae hi'n gwenu arno cyn codi a dechrau cerdded ar hyd llwybr yr afon i gyfeiriad Aberaeron.

*

Erbyn iddi gyrraedd adref mae Esther, Marged, Rhys ac Ifan Bach wedi mynd i'r gwely. Pawb o deulu dedwydd Ffynnon Oer heblaw Jane. Mae hi'n eistedd ar y staer yn ei gŵn nos, ei breichiau wedi'u plethu am ei chorff, yn siglo'n araf yn ôl a blaen. Mae golwg druenus arni, yn eistedd ar ei phen ei hunan yn y cyfnos llwyd, ei gwallt yn hongian am ei hysgwyddau, ei llygaid ymhell. Mae Martha'n eistedd yn ei hymyl ac yn gafael yn ei llaw.

– Jane fach. Fe ofalwn ni amdanat di. Ti a Ifan Bach. Chewn nhw ddim mynd ag e – Robert a Grace na neb arall.

– Ti'n addo, Martha?

– Odw!

Mae hi'n synnu at yr arddeliad sydd yn ei llais.

– Fe yw'r unig beth sy 'da fi.
– Ma' pawb 'da ti! Pawb!
– Dyw Emlyn ddim . . .
Mae Martha'n syllu ar ei hwyneb gofidus ac yn gwasgu'i llaw.
– Jane fach, wyt ti am weud wrtha i beth ddigwyddodd? Beth yn gwmws wedodd Emlyn?
– Martha, wyt ti mor lwcus. Ma' gŵr 'da ti sy'n dy garu di, cartre bach neis, gwaith wyt ti'n 'i lico . . . Ma' popeth 'da ti. A finne wedi towlu popeth bant. Popeth o'dd yn bwysig i fi . . .
Yn sydyn reit mae Martha'n teimlo'n affwysol o oer.

*

Drannoeth, yng nglaw mân y bore bach, mae Robert a Grace yn gadael gwesty'r Feathers ac yn cychwyn ar eu taith yn ôl i Lundain. Oriau maith o daith, a fawr ddim yn cael ei ddweud. Ond fe ddywedodd Grace bopeth neithiwr, yn hwyr y nos yn eu stafell wely, ar ôl iddi glywed am y llythyr:
– Ifan Bach wedi'i gneud hi eto! O's diwedd ar 'i effeth e, gwedwch?
Ac yna, wrth wylio'i gŵr yn chwilio am gysur yn ei frandi, mae hi'n penderfynu dweud y cyfan:
– O'n i'n fodlon cefnogi'ch cais chi i fod yn Aelod Seneddol. O'n i'n credu falle y bydde fe'n mynd â'ch meddwl chi, yn neud i chi feddwl llai am y crwt 'na, am yr obsesiwn sy 'da chi amdano fe. Fe allen ni'n dou ddechre o'r dechre. Ond nawr, fe fydd popeth 'nôl fel o'dd e. Mor ddiflas ag eriôd . . .

*

Wrth gychwyn ar eu taith ddiflas i ddiflastod, ychydig a wyddan nhw bod Jane hefyd newydd gychwyn ar daith debyg, ond ei bod yn dewis ei gwneud hi ar ei phen ei hunan, ac yn ei ffordd ei hunan.
Ifan Bach a ddarganfu'r nodyn ar obennydd ei gwely gwag pan aeth â chwpanaid o de iddi cyn cychwyn am yr ysgol.
– 'Wedi penderfynu mynd nôl i Lunden. Cofion annwyl atoch i gyd, yn enwedig Ifan Bach.'

Fe hefyd, yn ôl pob tebyg, oedd yr un olaf i'w gweld cyn iddi ddiflannu. Cofia iddi ddod i mewn i'w stafell, rywbryd pan oedd hi'n dal yn dywyll, a sefyll wrth ei wely'n syllu arno. Er ei fod yn hanner cysgu fe gofia iddi ddweud 'Gw-bei Ifan Bach' wrtho a rhoi ei llaw ar ei foch yn ysgafn. Am ei fod yn hanner cysgu, doedd e ddim yn gweld y ffaith ei bod yn ffarwelio ag ef gefn nos yn od. Does neb arall yn cofio gweld na chlywed dim, a does fawr ddim y gallith neb ei wneud, dim ond gobeithio y bydd yn cysylltu pan fydd hi'n cyrraedd 'nôl i Lundain. Ei dewis hi oedd ymadael yr un mor sydyn ag y cyrhaeddodd.

Mae 'na ddwy sy'n dirgel gredu nad yw pethau mor syml â hynny. Esther, sy'n credu'n wirioneddol bod Jane wedi penderfynu gweithredu'n ymarferol – yn gyfreithiol hyd yn oed – i adennill ei mab. Ac mae hynny'n ei phoeni, am ddau reswm. Yn gyntaf, dyw hi ei hunan ddim am golli Ifan Bach, nac am fynd drwy'r diflastod o ymladd amdano. Yn ail, mae hi'n poeni am iechyd meddwl Jane ac yn credu y byddai brwydr i'w gadw'n ormod iddi, yn enwedig o gofio bod Robert yn cuddio yn y cysgodion, yn barod i gipio'i fab o afael y ddwy.

Yr ail yw Martha, sy'n credu bod ei chwaer yn dioddef o iselder ysbryd dwfn ac y dylid cynnig help iddi. Mae meddwl amdani'n mynd yn ôl i Lundain ar ei phen ei hunan, yn ôl at ŵr sy'n ei cham-drin, yn peri gofid mawr iddi. Fe fydd yn rhaid iddi ffonio yn ystod y dydd i wneud yn siŵr ei bod wedi cyrraedd. Yn y cyfamser mae ganddi hithau rywbeth pwysig ar ei meddwl hefyd, rhywbeth a'i cadwodd ar ddi-hun am oriau, rhywbeth y mae'n rhaid iddi ei wneud o fewn yr oriau nesaf. Rhywbeth a fydd yn peri iddi beidio â cheisio cysylltu â Jane.

Fe fydd hi'n difaru am weddill ei bywyd iddi gamddewis ei blaenoriaethau.

*

Fe drefnodd hi gwrdd â David amser cinio, yn yr un man ag arfer, yr un man ag yr oedden nhw neithiwr. Ond y bore 'ma does dim dŵr amryliw yn yr afon, dim ond llif ewynnog ar ôl y glaw, a chymylog, llwyd yw'r awyr.

Does dim angen iddi ddweud dim. Fel arfer, mae'r cyfan yn

amlwg yn ei llygaid. Ond mae'n rhaid i rywun ddweud rhywbeth neu fe fydd y tawelwch yn eu llethu.

– Martha . . . Pam na 'wedi di fe? Pam na 'wedi di bo' ti am ga'l 'y ngwared i?

– Achos dyw e ddim yn wir.

– Ond wyt ti wedi penderfynu na ddylen ni weld 'yn gilydd 'to.

– Odw . . .

– O'n i'n gwbod . . . O'n i'n gwbod nithwr pan gerddest ti bant heb weud dim byd. Pam na fyddet ti wedi gweud hyn wrtha i nithwr yn lle neud i fi ddiodde? Ti'n lico neud i fi ddiodde?

– Paid, David! Ma' hyn yn ddigon anodd yn barod!

– Yn anodd i bwy? Dim i ti! Dy benderfyniad di yw e!

– 'Sdim dewis 'da fi! 'Sdim dewis 'da ni'n dou!

– Pam?

– Achos 'na beth sy ore.

– I bwy?

– I bawb.

– Ti yw 'pawb' i fi, Martha. Pawb a phopeth . . .

Mae hi'n ochneidio ac yn estyn ei llaw ato. Ond mae yntau'n ei gwthio i ffwrdd ac yn suddo ar ei eistedd wrth fôn sycamorwydden fawr.

– David, wy'n sôn am wreiddie . . .

– Yffach! Sa i'n credu hyn! Ma'r fenyw newydd weud wrtha i am fynd i'r jawl, a nawr ma' hi'n sôn am 'wreiddie'!

– Ma'n nhw'n bwysig i fi! Teulu, tylwth, ardal . . . Fan hyn ma'n lle i.

– 'Da boi wyt ti ddim yn 'i garu.

– Wy *yn* 'i garu fe.

– O! Wyt ti 'di newid dy gân yn sydyn iawn!

– Ma' Rhys yn rhan o 'mywyd i. Priodas, teulu, perthyn . . .

– Popeth sy ddim yn rhan o 'mywyd *i*.

– Dy ddewis di yw hynny. Pido bwrw gwreiddie . . .

– Pido gadel iddyn nhw 'y nhagu i! Ond yffach, Martha! Wy isie bod 'da *ti*! Weddill 'y mywyd i, fenyw! Wyt ti'n deall?

Gafaela ynddi a'i chusanu'n galed a'i gwasgu nes bod ei chorff i gyd yn brifo. Ac yna mae'n ei gollwng ac yn ei gwthio i ffwrdd.

– Nawrte, cer!

Hanner munud hir o syllu'n drist arno, ac yna mae Martha ar ei thraed.

– David . . .

– Cer! Cer i'r jawl!

Mae hi'n cerdded oddi wrtho. Tri cham, pum cam, saith cam – ac yna troi – a'i glywed yn gweiddi arni drwy ei ddagrau.

– Wy'n dy garu di, Martha!

Mae hi'n sibrwd.

– A finne tithe . . .

Ond dyw e ddim yn ei chlywed uwchlaw lli'r afon. Ac mae hithau'n cerdded oddi wrtho'n gyflym.

*

Yn gynnar y noson honno mae Emlyn yn eistedd yn lolfa Plas House yn sipian brandi gyda'i ewyrth.

– Iechyd da i ti, Emlyn bach!

– Ac i chithe, Yncl Robert. A hen dro am y sedd yn Sir Aberteifi.

– Twt, mi ddewison nhw rywun arall, a dyna ddiwadd arni.

– Ond ddaru nhw ddim rhoi rheswm i chi?

– Naddo . . .

– Rhyfadd . . .

– Ia. Ond Cardis ydyn nhw yntê? Yn ddeddf iddyn nhw'u hunain. Ond dyna ddigon am fy helynt i. Lle wyt ti 'di bod yn cadw? Mi ges i air efo'r *locum* gynna. Mi wyt ti'n styriad symud i ffwrdd . . . Wyt ti wedi sôn wrth Jane?

– Tydi Jane ddim yn rhan o hyn.

– Dwi'n gweld . . . Mi gwelis i hi yn Ffynnon Oer . . .

– Sut oedd hi?

– Ches i fawr o sgwrs efo hi am 'i hiechyd.

– Be fuoch chi'n drafod? Neu pwy? Ifan Bach, decini.

– Ia, fel mae hi'n digwydd. Mae gen i awydd helpu . . .

– Mae gynnoch chi gryn ddiddordab yn yr hogyn. Pam?

– Mab fy nith. Mae o'n hogyn clyfar.

– Tebyg i'w dad. Ella y bydd diddordab ganddo fynd yn feddyg.

A dyma ddiwedd ar y chwarae gwyddbwyll, ar y twyll.

– Fy nhad bedydd i fy hun . . . Un o'n i'n 'i styriad yn dad i mi . . . A fynta'n dad i blentyn 'y ngwraig. Iechyd da, Yncl Robert, a hwyl fawr.

Mae clepian y drws yn peri i Grace ddod i mewn i'r lolfa a sefyll yno fel rhyw aderyn corff yn disgwyl crafu'r cig oddi ar yr esgyrn.

– 'Dach chi wrth 'ych bodd, yn tydach, Grace? Gweld y cyfan yn dadfeilio o 'nghwmpas i. Pob gobaith, pob uchelgais . . .

– Dim o gwbwl, Robert. Teimlo drostoch chi odw i. Meddwl shwt alle pethe fod 'sech chi 'di bod yn llai hunanol. Ond 'na fe, 'sdim byd alla i neud, dim ond cydymdeimlo. A falle'ch atgoffa chi o beth wedodd 'ych taid Llanrwst. 'Os nad ydi dyn yn medru helpu fo'i hun . . .'

Un wên oeraidd ac mae hi allan drwy'r drws. Brandi arall, ac mae Robert yn gorffen y dywediad.

– '. . . helpith neb arall mo'r cythral.'

*

Mae Jane ar ei phen ei hunan. Fe gafodd y forwyn fynd adre'n gynnar. Mae honno wedi anobeithio'n llwyr am ei chyflogwyr, rhwng y ffraeo a'r pwdu a'r diflannu am gyfnodau maith gan ddisgwyl iddi hi gynnal y lle ac ateb cwestiynau lletchwith.

A nawr mae Jane ar ei phen ei hunan wrth ddesg Emlyn, gwydraid mawr o frandi o'i blaen a'i lythyr yn ei llaw. Yng ngoleuni'r lamp gopor sy'n taflu pwll o olau melyn ar y ddesg, mae hi'n darllen ei eiriau am y degfed tro.

– 'Gobeithio y medri di faddau i mi am dy drin di mor wael. Ond y gwir ydi, fedra i ddim madda i mi fy hun. Dyna pam mae'n rhaid i mi fynd i ffwrdd. Dechra o'r newydd, trio anghofio popeth. D'anghofio di . . .

Mae hi'n rhy gynnar i sôn am ysgariad. Mi drefna i bopeth pan ddaw'r amser, a gofalu na fyddi di ddim yn brin. Yn y cyfamser, dwi'n dymuno'r gora i ti, Jane, ac yn gobeithio y byddi di'n medru bod yn hapus, yma yn Llundain, neu yn Ffynnon Oer. Yr eiddot yn gywir, Emlyn.'

*

Mae Martha, yn ôl ei harfer, wedi llwyddo i wthio'i gofid ei hunan i gefn ei meddwl a chanolbwyntio ar rywbeth llawer pwysicach. Fe sylweddola'n iawn bod gwneud hynny'n rhan o'r therapi – mae rhoi blaenoriaeth i broblemau pobol eraill yn fodd i wynebu'ch problemau eich hunan. Yn sgil anhapusrwydd affwysol Jane, a'i diflaniad disymwth, y flaenoriaeth nawr yw Ifan Bach. Nage, yr unig ystyriaeth yw Ifan Bach.

Bu Martha'n pwyso a mesur yn ofalus ers oriau ac erbyn hyn mae'r cyfan yn glir yn ei meddwl, ac wedi'i gynllunio'n fanwl. Mae hi'n hanfodol bod y crwt yn cael gwybod y gwir ar unwaith. Wel, hanner y gwir – byddai hynny'n start go lew. A hanner yw gwir yw mai Jane yw ei fam. Ac Esther yw'r un – yr unig un – a ddylai ddweud wrtho, cyn i ryw Benji Pen-parc arall, neu rywun yn y *County School*, agor ei geg. Mae plant yn gallu bod mor greulon.

– Benji Pen-parc? 'Na beth o'dd achos y ffeit? Pan gafodd Ifan y gansen?

'Da iawn, Mam,' meddylia Martha. 'Cant mas o gant, ond yn llawer rhy hwyr. Cariwch chi 'mla'n i siglo yn y gader 'na.' Ond mae Esther yn dweud rhywbeth arall.

– Druan bach ag e. Yn pallu gweud beth o'dd y rheswm . . .

– Druan bach ag e! Whare teg iddo fe y'ch chi'n feddwl! Ond plîs pidwch â gadel iddo fe ddigwydd byth 'to! Pidwch â gadel i'r crwt glywed storâis . . .

Storâis gan hwn a'r llall, fan hyn a fan draw. Ambell un yn wir, ambell un gelwyddog, ambell un faleisus. Ond mae rhywbeth arall ar feddwl Martha.
Beth petai Jane ei hunan yn dweud wrtho? Dyna ben draw eithaf ei chyflwr meddwl cythryblus hi.

A chael gwybod gan Martha beth fyddai pen draw meddwl cythryblus ei merch sy'n peri i Esther beidio â siglo'n ôl ac ymlaen yn ei chadair a dechrau dringo'r staer . . .

*

Mae hi'n gwthio'r drws ar agor yn ofalus ac yn gweld bod y lamp yn dal ynghynn. Mae ei golau gwan yn creu un pwll melyn yng nghornel y stafell wely, ond mae'r gweddill yn dywyll. Mae hi'n mynd i mewn ac yn sefyll wrth y gwely. Y cyfan sydd i'w weld heblaw lwmpyn bach o ddillad gwely yw gwallt melyn ar y gobennydd. Mae hi'n sibrwd:

– Ifan? Wyt ti'n cysgu?

Mae'r dillad gwely'n cael eu gwthio o'r neilltu ac mae llais bach cysglyd yn ateb:

– Mam! Beth sy'n bod?

– Licen i weud rhwbeth wrthot ti.

Mae hi'n eistedd ar y gwely.

– Mam, pryd y'n ni'n mynd i siopa? I ga'l dillad ysgol?

– Dydd Sadwrn.

– Y *satchel* a chwbwl?

– Y *satchel* a chwbwl . . .

– A'r cap!

– A'r cap . . .

Mae hi'n gafael yn ei law.

– Ond ma' 'da fi rwbeth arall i weud wrthot ti. Rhwbeth sy'n mynd i fod yn sioc ofnadw i ti. Ond ma'n rhaid i ti dreial bod yn ddewr, a threial deall, a chofio 'mod i'n dy garu di, yn dy garu di'n fowr iawn . . .

– Mam? Beth sy'n bod? Beth sy wedi digwydd? Pam y'ch chi'n llefen?

– Ifan bach, dim fi yw dy fam di. Dy fam-gu di odw i . . .

– Na . . .

– Jane yw dy fam iawn di . . .

– Na . . .

– Ma'n rhaid i ti ga'l gwbod. Dim bo' fe'n neud unrhyw wahanieth . . .

– Na! Pidwch â gweud celwydd! Chi yw Mam! Dim Jane!

Fe'u gadawn nhw'n cofleidio'i gilydd yn ddagreuol.

*

Beth barodd i Robert fynd i Harley Street y noson honno? Beth barodd iddo ddefnyddio'i allweddi ac agor y drws i gartref ei gyn-gariad a'i gŵr, i gartref ei nith a'i fab bedydd? Fydd e byth yn gwybod. Greddf? Chwilfrydedd? Dianc rhag Grace a'i chyhuddo aderyn corff? Dychwelyd i'r lle a fu'n bwysig iddo unwaith, cyn i'r chwarae droi'n chwerw? Y lle y bu ef a Jane yn hapus. Unwaith, cyn dyfod y dyddiau blin . . .

Mae'r cyfan yn dywyll ar y llawr cyntaf, heblaw am un stribedyn melyn o dan ddrws y syrjeri. Mae Robert yn gwthio'r drws ar agor yn araf ac yn gweld bod y lamp gopor ynghynn, ei golau gwan yn taflu pwll melyn ar y ddesg, ar y gwallt tywyll, ar yr wyneb gwelw, ar y ffrwd o waed sy'n diferu drip, drip, drip o'r ddesg i'r llawr . . .

*

Yr actorion yng nghynhyrchiad Teledu Opus ar gyfer S4C

Cymeriadau'r Wlad

Esther Jenkins	Delyth Wyn
Ifan Jenkins	Dennis Birch
Martha Jones	Nia Roberts
Rhys Jones	Ioan Evans
Marged Ann	Lisa Pugh
Ifan Bach	Gruffudd Brynmor
Luther Lewis	Ifan Huw Dafydd
Bet y Post	Gwenyth Petty
Enoc Morgan	Gareth Morris
Williams y Sgwlyn	Griff Williams
Phillips y Beirniad	Elfed Lewys
Benji Pen-parc	Tomos Davies
Defi Oernant	Jonathan James Thomas

Cymeriadau'r Dre

Isaac Jenkins	Emyr Wyn
Annie Jenkins	Victoria Plucknett
Daniel Jenkins	Geraint Morgan
John Jenkins	Rhydian Jones
Lizzie Jenkins	Helen Rosser Davies
Alun Jenkins	Ifan Patchell
Edwin Jenkins	Dafydd Llew Evans
Jane Jenkins	Llinor ap Gwynedd
Robert Roberts	Owen Garmon
Grace Roberts	Sara Harris-Davies
Y Parchedig William Jones	Trefor Selway
Hannah Jones	Gwenfair Vaughan Jones
Isaac Cohen	Anthony Morse
Lady Orme-Wilkinson	Sue Roderick
David Davies	Jeremi Cockram
Emlyn Walters	Gwyndaf Jones
Goronwy	Julian Lewis Jones
Pritchard	Ieuan Davies

Cynhyrchydd : Eryl Huw Phillips
Cyfarwyddwyr : Eryl Huw Phillips, Robin Davies-Rollinson